LA ROSE DE BRATISLAVA

ŒUVRES D'ÉMILE HENRIOT
Chez Plon

ROMANS

L'Instant et le souvenir.

Le Diable a l'hotel ou les plaisirs imaginaires.

Les Temps innocents.

Les Aventures de Sylvain Dutour.

L'Enfant perdu.

Aricie Brun ou les vertus bourgeoises.

Les Occasions perdues.

La Marchande de couronnes.

Le Pénitent de Psalmodi.

Tout va finir.

CRITIQUE, ESSAIS, VOYAGES

Livres et portraits

Romanesques et romantiques.

D'Héloise a Marie Bashkirtseff. Portraits de femmes.

De Marie de France a

Katherine Mansfield. Portraits de femmes.

Vers l'Oasis. En Algérie.

Le Livre de mon père.

Naissances.

Au bord du temps.

POÉSIE
Poésies (1905-1928).

Chez d'autres éditeurs :

La Flamme et les cendres. poésies.

Valentin, roman.

Carnet d'un dragon.

Les Livres du second rayon.

Stendhaliana.

Voltaire et Frédéric II.

Alfred de Musset.

Epistoliers et mémorialistes.

Esquisses et notes de lecture.

Courrier littéraire : XVIIe siècle.

Promenades italiennes.

En Provence.

Dans le jardin de mon père, poésies.

Recherche d'un chateau perdu.

Beautés du Brésil.

Les jours raccourcissent. poésies.

Rencontres en ile de France.

ÉMILE HENRIOT

La rose de Bratislava

I

SINGLE

« Grandes lignes? Banlieue?

— Grandes lignes. »

Sur le quai, déjà, la magie opère. Voici le train de longs wagons marqués aux noms des grandes villes du Mitropa, Nuremberg, Munich, Bayreuth, Cheb, Prague, Varsovie. L'esprit, du coup, prend son essor, imagine les paysages traversés, croit respirer déjà l'odeur de lignite, de saumure et de bois brûlé où baigne cette partie du monde. Et les voyageurs ont repris leur aspect d'ailleurs : la belle actrice de cinéma, si bien vêtue pour le voyage, et ses dix-huit mallettes de pur porc, qui fait sur le quai des adieux tendres au beau jeune homme blond, le Herr Doktor au crâne rasé, avec son bourrelet de graisse sur la nuque, le diplomate distingué, porteur de valise. — Ivresse de partir! Me voilà dans mon single, heureux,

étonné, sans y croire. Quinze jours de vacances. Quelle
joie! — Mais quel sot me disait tantôt : « Pourquoi
ne prenez-vous pas l'avion? C'est beaucoup plus court :
quatre ou cinq heures seulement de voyage, au lieu de
vingt-quatre... » L'imbécile! Quand je ne les donnerais
pas pour un empire, justement, ces vingt-quatre heures
délicieuses, premier bonheur de l'expédition, avant-
goût de la liberté! Songez donc, ce repos forcé, cette
détente, ce loisir, cette longue nuit de sommeil bercé,
ce long jour de rêverie et de regard dérivant sur le
paysage en fuite à travers la vitre, cette immobilité
obligée, cette reprise de soi, dans le farniente et la
disponibilité parfaite de l'esprit, l'absence de courrier
et de téléphone, le divin silence. Et soi-même enfin
retrouvé — ce cher moi qu'on perd dans les besognes,
retrouvé comme un vieil ami revenu... Que j'ai de
choses à me dire!

Je me suis installé dans mon coin, j'ai tiré ma pipe
de ma poche, et je laisse dormir, sans les ouvrir, dans
ma serviette, les livres emportés par habitude. Que
m'importent les pensées d'autrui, quand il est si bon
d'assurer, complètement, à l'esprit vacant cette merveilleuse liberté que lui procure le voyage, dans le
doux bercement du train! — Le train est aujourd'hui
la seule chose qui nous reste des jours d'autrefois, où
le temps s'écoulait moins vite, dans la plénitude et le
respect des heures. Elles vont si vite, à présent! Nous
voulons les remplir de tant de choses inutiles! Dans

le train, les heures sont longues, propres au rêve. La
distance à parcourir demeure la même, dans le même
laps que les horaires ont prévu, obligeant à l'oisiveté.
J'aime le train et cet air de cellule que le compartiment représente. Voici, dans le filet, mes valises,
compagnes de mes promenades d'autrefois, chacune
estampillée de ses anciennes étiquettes, dont toutes,
à moitié déchirées, effacées, me proposent tant
d'agréables souvenirs : Venise, Copenhague ou Vienne;
les hôtels que j'ai habités, le *Saint-Gellert* de Budapest, le *Saint-Georges* d'Alger dans les eucalyptus, *la
Mamounia* de Marrakech dans les orangers et les
rafraîchissantes brises venues de l'Atlas, *Hyde Park
Corner*, et le cher *Belsoggiorno* aux folles peintures
pompéiennes, sur le forum Trajan, tandis qu'à vingt
ans je découvrais Rome... Si jamais j'en ai le loisir,
j'écrirai ce chapitre de mes capitales, à prendre place
en mes Mémoires : ce monde que l'on porte en soi,
ces longues causeries d'un soir ou d'une nuit, avec
un compagnon de rencontre, ces amitiés partout
mêlées à des images — le petit matin qui se lève aux
Langelinie, sur la petite sirène frissonnante dans
l'eau de perle — cette soirée funèbre d'Oslo, où, pour
nous divertir d'un excès d'Ibsen (un drame par jour,
en norvégien, dix soirs de suite, tu te le rappelles,
cher Gérard?), nous sommes allés au cinéma voir
Charlot dans *le Cirque*. J'étais triste, inquiet, sans
nouvelles, et tu me disais : « Tu vas tout à l'heure

trouver une dépêche à l'hôtel » — et c'était vrai. —
Cher Bedel, vous vous souvenez : nos déambulations
sans fin, par cette nuit romaine, dans le bruit des
eaux fracassantes, du Pincio à Monte Cavallo, le long
des palais blancs et rouges; — cher Jean-Louis, ce
dernier dîner et le bon aleatico bu ensemble au *Cas-
tello dei Cesari,* le soir que je partais pour Naples;
— cher Edmond, cet autre soir vénitien, où, allant
dîner chez Henri de Régnier, dans son palazzino des
Carmini, vous écartiez de votre canne la canaille, pour
faire place au facchino du *Vapore,* porteur d'un vieux
flacon de Barolo amabile, choisi parmi les plus aima-
bles... Et notre amusement, ô Gérard encore, quand
débarquant à Copenhague, la première singularité
que nous y vîmes fut une charmante dame sur le quai,
qui tenait serré dans ses bras un minuscule petit chien
qui était tout de même un danois! Et ce Zoo de Londres, réduit de moitié, où pour une malheureuse escar-
bille, je ne pus admirer que d'un œil le plus grand
jardin zoologique du monde!...

Comment, déjà? Voici la Marne. Le soir d'automne
tombe insensiblement sur l'eau lente entre ses berges
grasses, sur la douce campagne française, pleine de
labours ondulants, de fins peupliers, de tranquilles
villages aux toits rouges. J'ai passé par là en 1914,
dans les premières semaines de la guerre. Lieux historiques, lieux témoins. Château-Thierry, Dormans, les
Allemands sont venus là. Sur ces crêtes, à fin d'horizon,

la bataille s'est déroulée, et le moutonnement des bois a recouvert depuis longtemps les anciennes tranchées et les tombes. Jamais le témoin de ces choses, dans leur horreur neuve, le cadavre au bord du sillon, le village en flammes, ne pourra repasser par là sans se souvenir et s'émouvoir. Le soir se répand dans ses vapeurs bleues, sur la campagne vide et calme. Les hameaux ont ramené les gens et les bêtes. On ne voit personne dans les champs. Seul, entre deux bosquets de saules, un pêcheur à la ligne s'attarde, heureux homme, tout à sa patiente attente, indifférent à tout le reste... La nuit est venue, grise, où tout se perd. Douce torpeur, que le train secoue. Chacun, dans son compartiment, s'est installé. Dans le couloir, le gros Doktor à bourrelet fume un cigare qui empeste, la cinéaste bien moulée dans ses lainages revient du wagon-restaurant, l'officier en permission et qui descendra à Nancy ou à Lunéville va au lavabo. Demain, ce sera l'Allemagne et ses maisons peintes, ses petites fenêtres, ses hauts toits pour les longues neiges, ses fillettes en cheveux nattés qui saluent gentiment les trains à tous les passages à niveau, ses vieux messieurs déguisés en petits garçons tyroliens, sac au dos et les mollets nus; ses profondes forêts de sapins, ses sables mornes, ses tourbières, et ses chefs de gare au port d'arme, dans un air d'obéissance et de commandement. L'inquiétante et mystérieuse Allemagne... Puis, au soir, dans l'odeur des foins, la riche Bohême aux troupeaux d'oies, après les tristes landes et les forêts interminables. Prague enfin, le but du voyage... Et ses images. Je songe à ce que je vais retrouver dans ce pays que j'aime. La ville admirable et fidèle, les églises baroques, le pont Charles, le majestueux Hradcany, la tumultueuse Vltava, la vivante place Saint-Venceslas, les évêques dansants de Saint-Nicolas, les blondes et fermes Pragoises, la bonne bière et le bon jambon, et les amis au cœur chaleureux, à l'esprit prompt. Sans oublier Casanova et l'introuvable manuscrit de ses *Mémoires* — mais chut! ne dévoilons pas nos intentions! — et ces fameuses battues de perdreaux que l'on m'a promises. Ce pourquoi j'emporte avec moi mon fusil, qui repose entre mes valises, dans sa vieille gaine culottée. Aurai-je le temps de m'en servir?

Allons, il est temps de dormir. Mais vais-je dormir, qand ce kaléidoscope tourne sans fin dans ma tête, brassant images, souvenirs?... Et ces espérances, toujours! Le voyage, promesse de bonheurs — quoiqu'en puisse dire Gérard qui assure « qu'en voyage, il ne se passe jamais rien ». C'est à voir. — Toujours à rêver, pauvre fou. Ce n'est pas sérieux, à ton âge. Regarde tes mains seulement, et ces tavelures... Ma main, qui commence à ressembler à celle de mon père...

Allons, bon! Qu'est devenue ma bague? Disparue. Je l'avais au doigt tout à l'heure encore... Elle aura glissé le long de mon doigt amaigri. Me voilà à quatre pattes, au milieu du compartiment, allongeant le bras

sous la banquette et ramant à la recherche de l'anneau
perdu. Le voilà, Dieu merci! Il n'était pas loin. Je
respire. — Je tiens beaucoup à cette bague. Elle n'a
rien de remarquable en soi, — un simple jonc d'or
avec une cornaline — mais j'y tiens. Je l'ai déjà
perdue une fois, pendant la guerre, et je l'ai aussi
retrouvée tout de suite... Etrange chose que la mémoire! J'ai remis la bague à mon doigt, éteint la
lumière; je me suis étendu, cherchant le sommeil, et
voici que cet incident lointain me revient, si médiocre
au milieu des soucis, des angoisses et du rude métier
que nous faisions alors. Je revois la tranchée où l'on
s'ennuyait tant, sans espoir, entre deux corvées, deux
coups durs. J'étais de loisir, le corps harassé, l'esprit
vide, attendant je ne sais quoi — la relève, les lettres,
la soupe — et je jouais machinalement avec cette
bague, quand elle m'a échappé des mains et est allée
rouler à mes pieds, dans la boue infecte. Je l'ai ramassée, je l'ai nettoyée du coin de mon mouchoir, et
avant de la glisser à mon doigt, je l'ai fait jouer au
soleil, pour vérifier la transparence de la pierre. C'est
alors que je me suis aperçu qu'il y avait à l'intérieur
de l'anneau une ciselure à demi effacée, à laquelle je
n'avais jamais fait attention, et que j'entrepris de
déchiffrer. C'était une dédicace presque imperceptible,
sous l'usure, mais encore nette à l'examen, où je lus
deux noms : *Maurice à Jeannette.* — Je me souviens
de cela comme si c'était d'hier — et combien, dans

cette pénurie où nous étions, dans cette misère et
cette indigence, ils m'ont fait rêver, ce Maurice et
cette Jeannette inconnus, à cause de cette pauvre
bague acquise un jour chez le revendeur où elle était
allée se perdre, après quelle rupture et quel drame,
ou tout simplement quel simple et fatal cours des
choses... Pauvre petite Jeannette inconnue, qui a dû
être si contente, le jour où elle a reçu cet anneau,
gravé à son nom, près de celui de l'homme qui
l'aimait! J'ai passé un après-midi à m'occuper d'elle,
et de son roman. Puis il a fallu penser à autre chose.
Rien n'est jamais acquis, pas même un rêve... Mais
les rêves reviennent parfois, singulièrement, à l'heure
où on les attend le moins; à cause d'une bague qui
glisse et manque se perdre comme autrefois, et dont la
retrouvaille rappelle une histoire...

Allongé sur ma dure couchette, dans le noir, au
rythme saccadé du train qui m'emporte à travers la
sombre Allemagne — ai-je rêvé celle que voici?

II

UNE AVENTURE D'AUTREFOIS

... Moi aussi, j'ai eu ma Jeannette — sans rapport avec celle de la bague, mais que cette bague vient de me ramener — de quelles profondeurs! — à la mémoire. C'était à Dijon, pendant la guerre — encore la guerre, et de nouveau jamais si proche! — Il y a vingt ans de cela. Le hasard des mutations m'avait fait, de dragon, devenir artilleur, et j'avais été envoyé suivre un cours de balistique et de goniométrie au dépôt de mon nouveau régiment, le 108, dans la belle ville de Dijon. J'avais deux ans de première ligne; je sortais de la boue, du froid, du danger, de l'incurable ennui du front et de la solitude au milieu des hommes, plus horrible encore que le reste. Et soudain, je trouvais une ville, le repos, ce sursis de grâce en attendant de repartir, et de menues délices bien vulgaires, mais appréciables certes à qui en a été privé longtemps :

de petits bistrots bien fournis, coucher dans un lit,
et des flâneries aux devantures, le long des trottoirs
éclairés. On mourait beaucoup et de bonne heure, en
ces jours-là. Et comme tous les soldats à cette époque,
j'entendais vivre de mon mieux, le temps qu'il m'en
serait donné. Aussi bien, dès le premier soir, Dijon
m'apparut comme une oasis délicieuse, dans le désert
sanglant d'où je sortais. J'avais en outre vingt-cinq
ans, et les appétits d'un artilleur. Quartier libre à
cinq heures du soir. Aussitôt, sanglé, harnaché, bottes
cirées, l'éperon fourbi, je courais au *Lion,* sur la place
Darcy, rendez-vous d'une jeunesse guerrière et soif-
farde, à qui la guerre, comme à moi, créait momen-
tanément des loisirs. Il faisait chaud, la moleskine
était accueillante, la lumière éclatait aux lustres, et
dans ce gai tumulte d'un café on se trouvait bien pour
ne rien faire, écrire des lettres et voir venir.

Je n'eus pas longtemps à attendre. Le lendemain
de mon arrivée à Dijon, je sortais de ce confortable
Lion, méditant où porter mes pas, et si j'irais dîner
chez Etienne ou chez Gourdon, gargotiers experts
et accessibles. J'avais fait à peine trois pas vers la
place, que j'entendis sur mes talons une légère galopade, une voix qui m'appelait, et, me retournant, je
vis devant moi, essoufflée et rose de sa course, les
yeux scintillants et le plus gentil nez au milieu du
plus gai visage, une jeune personne délurée, que je
ne connaissais nullement, mais qui, sur le vu de mon

écusson, s'était avisée tout soudain qu'elle avait un renseignement à me demander. C'était à savoir si je n'avais pas rencontré le maréchal des logis Bétourné.

Il se trouvait que j'avais vu, le matin même, ledit maréchal des logis Bétourné, lequel m'avait fort jovialement annoncé qu'il partait le soir en permission. Je l'appris à l'aimable enfant, qui parut surprise.

« En voilà encore un malotru! dit-elle en mettant les poings sur les hanches, d'un air indigné. Il m'invite à dîner, et il part en perm'! Et il y a une heure que je l'attends!

— Il y a un moyen de tout arranger, proposé-je. Bétourné et moi sommes de la même arme : Mademoiselle, dînez avec moi! »

Elle rit, et sans plus tarder :

« Je veux bien. »

Et de l'incertitude où je ballottais, concernant Etienne ou Gourdon, ce fut elle qui, m'ayant pris le bras, me tira, optant pour un autre, « où, dit-elle pour me décider, les escargots sont épatants ».

C'est ainsi que je connus Jeannette. Elle était une enfant sans calcul, et trop gaie pour feindre longtemps. Nous n'en étions encore qu'au potage, qu'elle m'avoua que le maréchal des logis Bétourné n'avait été qu'un subterfuge pour passer la soirée avec moi; que je lui plaisais parce que j'étais le seul sous-officier de la garnison à ne lui avoir rien demandé, et que si je voulais, elle était libre.

Nous dînions, à notre petite table, l'un en face de
l'autre. La table était étroite, nos coudes se touchaient.
Elle me regardait en riant. Sans avoir eu besoin d'un
examen bien prolongé, je la trouvais charmante : les
plus beaux yeux, couleur de noisette, à points d'or, le
nez spirituel, la voix ravissante, et dans tout son
mince visage tendu, appuyé du menton au revers des
doigts entrecroisés, avant-bras en V sur la nappe, elle
montrait quelque chose de si spontané, ingénu, ouvert
et offert, que je me donnai aussitôt mille fois raison
de la trouver charmante et que je fis de mon mieux
pour lui donner raison de m'avoir jugé à son goût, en
la regardant d'un air aussi tendre, en m'intéressant
grandement à sa petite personne et en étant gai.

Il y avait beaucoup d'étudiants, de jeunes soldats et
d'officiers autour de nous, dînant bien, dans ce restaurant bourguignon. Jeannette était très regardée, et
plusieurs fois elle répondit aux sourires de l'un ou
de l'autre, par un léger salut, fort digne, de la tête.
Elle avait évidemment beaucoup de relations. Mais à
son attitude envers moi, il était aussi évident qu'il
fallait bien que chacun se persuadât que c'était moi
l'élu du jour, et qu'on n'avait qu'à lui ficher la
paix.

Je la ramenai chez elle le soir même, mais je n'entrai pas. Je l'avais embrassée sous un réverbère. Elle a
doucement fermé les yeux, et vrai! j'ai senti son cœur
sous le mien. — Nous avons marché quelque temps

par de petites rues, nous arrêtant parfois; elle, me serrant le bras, se taisant, appuyant sa tête légère contre mon épaule. Elle m'a demandé mon nom, se l'est répété à plusieurs reprises, à voix basse, comme pour faire connaissance avec lui. Tout était simple, naturel, et même beaucoup plus gentil que je n'avais pensé pouvoir me le promettre, en mes prévisions vraisemblables. Nous avions envie l'un de l'autre; elle avait vingt ans, moi pas beaucoup plus, enfin j'étais encore dans les vingt. Comme il était facile d'être heureux!...

Arrivés devant une grille, elle s'arrêta.

« C'est ici », dit-elle.

Une grille, et, derrière, un étroit jardin, avec une pelouse ovale, et au fond du jardin, sa maison. Elle avait la main sur la porte, elle se retourna vivement, et je vis qu'elle semblait émue.

« Ecoutez..., dit-elle, hésitant.

— J'écoute.

— Ecoutez... si vous voulez, entrez... Mais — elle se tut une seconde, et reprit d'une voix plus grave, en me posant ses deux mains, comme pour une prière, sur la poitrine — si vous voulez me faire plaisir, ne me demandez rien ce soir... Demain, oui... »

Je dus avoir une mauvaise pensée, un mouvement d'impatience ou de dépit. Elle sentit que je ne croyais pas sincère sa promesse, et elle hocha la tête, avec une sorte de tristesse résignée. Et tout de suite :

« Alors, si c'est ça... venez. »

Je compris bien qu'elle disait cela sans élan, et que je lui avais fait involontairement un peu de peine. Un homme pressé, comme les autres! — Les artilleurs de vingt-cinq ans ont beau passer pour n'être pas toujours des modèles de délicatesse, et j'avais pourtant bien envie de ne rien perdre, mais pour ménager la pudeur d'une fille qui m'avait littéralement sauté au cou, je ne sais quel don-quichottisme sentimental me fit prendre le parti de l'héroïsme, que dis-je, du sublime!... Eh bien, non, j'ai tort de plaisanter, et je serai toujours le même. J'avais une chance à courir, et si je devais être refait, tant pis, c'est que cela ne valait pas la peine d'être ému. La petite paraissait sincère. J'avais dans l'oreille le son de sa voix m'implorant : « Si vous voulez me faire plaisir... »

« Eh bien, oui, lui dis-je, demain... »

Il y avait un falot, suspendu en travers de la rue, sur une corde. Je tournai le visage de Jeannette vers la clarté.

« Vrai? »

Elle fit *oui*, d'un seul signe de tête. Elle était toute palpitante, et ses yeux brillaient d'un éclat extraordinaire. Elle ne mentait pas. Elle voyait que j'accédais à son désir. Alors, elle fit quelque chose d'inattendu. Elle prit ma main, la porta à sa bouche et la baisa très doucement. Puis, ayant tiré de son sac une clef, elle ouvrit la porte et s'élança dans le jardin. Mais, du

haut du petit perron, elle se retourna, et me voyant
oujours planté là, à la contempler à travers la grille,
elle mit ses doigts sur ses lèvres et les agita ensuite
*levers moi, le bras levé au-dessus de sa tête. — Je
'eus le lendemain, et la nuit d'après, et celles qui sui-
virent, tout le temps que je restai à Dijon.

Nous nous aimions sans y penser. Nous nous
aimions ou nous faisions semblant, heureux du plaisir
et de notre jeunesse, sans complication ni roman-
tisme; heureux, ardents, jeunes, rieurs. Il y avait elle
et il y avait moi, et nous nous moquions bien du
reste de la terre, de la guerre et de l'avenir, et de
tout ce qui n'était pas nous, la belle fille et le petit
soldat. En face l'un de l'autre, dans la seule minute
présente. Le temps nous était limité. Elle aimait
l'amour; elle le faisait en fermant les yeux, avec une
gravité merveilleuse, ronronnante, et soudain folle
dans mes bras. Pauvre gosse, enivrée de cette échappée,
selon sa nature, hors des médiocrités de sa vie réduite
à une triste noce de province, et qui d'ailleurs eût
pu être pire. — Parfois elle me faisait des confidences,
et c'était bien la preuve qu'il y avait entre nous quelque chose d'affectueux, de confiant et de tendre, ces
naïfs aveux d'une enfant perdue, meilleure que sa destinée, la voyant. Ses parents étaient de bonnes gens,
qui vivaient à Beaune, d'un petit commerce. Elle avait
été gouvernante, un moment, dans un château; puis
lâchée dans les aventures, avec un vague fiancé quel-

que part, soldat aussi, qui avait un drôle de nom que j'ai oublié. La guerre les avait séparés. Car la guerre était venue, et les difficultés, les tentations du *Lion*, la nécessité. Une fois, elle a pleuré, à petit bruit, dans mes bras, me contant ces choses, et il a fallu que je la console. Des larmes, mêlées au plaisir, et de la vérité amère sur le tout, cela fait un combiné tendre, où la volupté rejoint la pitié et compose un philtre. Pauvre petite Jeannette, si gaie à travers ses larmes! Elle n'était pas forte et toussait souvent; puis soudain elle éclatait de rire, et m'appelait, pour que je la prenne serrée, la réchauffé. — « Pardon de pleurer, disait-elle, c'est triste une femme qui pleure, mais je ne peux pleurer qu'avec toi. » Il y en avait, assurément, qui n'aimaient pas cela. — Elle avait des rêves, dans sa futilité d'oiseau et son inconscience puérile. Je me souviens d'un incident, qui nous fit rire. Elle me demanda un jour une boîte d'allumettes vide : c'était pour envoyer une bague à son fiancé. Nous ficelâmes ensemble le paquet, et cela nous amusa beaucoup, comme des enfants, sans arrière-pensée, sans malice. Au *Lion*, nous étions repérés. — « V'là Jeannette. Le petit 108 n'est pas loin... » J'arrivais. Jeannette se levait, quittait son groupe. Je dus lui dire d'être prudente et de ne pas trop nous afficher. Je n'avais pas tort. Je n'étais que maréchal des logis et je voyais tourner autour d'elle des types à plusieurs galons. Un médecin-major, entre autres, qui

riait de travers en m'apercevant, mais ce n'était pas
pour rire avec moi.

Le matin, je quittais Jeannette, la tête vague. Je
courais au quartier, heureux de retrouver les hommes.
C'est curieux, comme toutes ces choses me reviennent,
tout ce menu détail oublié, de ce qui fut ma vie, un
moment... Visite des chevaux, service de jour, manège,
théorie, appel, contre-appel, maniement de culasse ou
de cingolies — et les cours devant le tableau noir et
ses problèmes à se casser le front, où nous retrouvions
le collège : angles, bissectrices, point mort, lois de la
probabilité du tir et calculs au goniomètre. Et puis,
par équipes, au jardin public, de l'extrémité d'une
allée à l'autre, les exercices d'optique et les signaux
morses. Longue! Brève! Un bras levé, deux bras, un
bras levé, ou deux, deux, un. Nous pataugions dans
l'alphabet, nous envoyant de groupe à groupe des propos absurdes, vingt fois ratés, recommencés, répétés,
à raison de combien de signes par lettre! — « Pensez-
vous qu'on aura la guerre? — Allongez le tir. — As-tu
vu Marie? — Je voudrais bien savoir pourquoi la
cantinière... » On crevait d'ennui, en attendant le soir,
les nouvelles, l'heure du *Lion*, et moi Jeannette. Il y
eut un intermède sans joie. Mon tour vint de prendre
la semaine, et je dus faire en ville le planton à la
tenue. J'échouai dans un cinéma, en sabre, casque,
jugulaire. Je vis *Forfaiture* dix fois de suite, et je
regrettai les tranchées. Puis un jour, devant le trans-

parent du *Bien public,* cette époustouflante nouvelle :
« L'Amérique entre en guerre! » Immense espoir.
Est-ce la fin? — En attendant, je dîne le soir avec
Jeannette.

Enfin, un matin, décision. Le régiment forme un
nouveau groupe : canons neufs, du 155 court de
Saint-Chamond, et classe 18. Des jeunes, qui n'ont
rien vu encore et meurent d'envie d'en découdre et de
prendre part aux aventures. Je suis désigné pour ce
groupe. Les officiers sont choisis, les hommes pleins
d'allant, de bonne volonté. Changement : nous quit-
tons Dijon et allons cantonner non loin, dans un pate-
lin appelé Marsannay-la-Côte, célèbre par ses vins et
ses réserves d'escargots. Va pour Marsannay, nouvelle étape! C'est à six kilomètres de Dijon. J'arrive.
Premier soin, je dégote une chambre. Jeannette viendra. Tout va bien.

J'étais à Marsannay depuis deux jours, déjà dégoûté
d'escargots. Je procédais sur la place, entre les hommes
de ma pièce, à l'affectation des chevaux arrivés le
matin à la batterie, et j'essayais moi-même une jument
américaine impossible, velue comme un ours, taillée à
la hache et qui n'avait jamais été montée, quand
l'agent de liaison vient m'avertir qu'on me demandait
d'urgence au bureau.

J'accours. Le chef, d'un air embarrassé, me dit :
« Tu pars demain pour le front, en renfort individuel. » Il me tend l'ordre de la place. « Le maréchal

des logis X (mon nom) du 108ᵉ R. A. L., est désigné
pour partir au front en renfort individuel. »

« Hein? quoi? Mais j'en viens justement, du
front!...

— C'est bon, tu y retournes.

— Qu'est-ce que c'est que cette histoire? »

Le chef lève lourdement les épaules, écarte les bras.

« Il ne faut pas chercher à comprendre. Voilà
l'ordre. »

Je relis le papier. Il est net. « En renfort individuel », c'est flatteur. Est-ce qu'on l'on compterait vraiment sur ma présence pour achever la guerre, d'un
seul coup?... Ce n'est pas l'idée du front qui m'occupe.
Un peu plus tôt, un peu plus tard... Mais j'aurais
autant aimé y retourner avec le groupe, entre les officiers connus et mes jeunes nouveaux camarades, où
déjà je comptais des amis — n'est-ce pas, canonnier
Poupet?... Le capitaine rencontré, ennuyé, lève aussi
les bras. — « Je n'y comprends rien. Allez donc voir
un peu la chose à la place. » Je vais à bicyclette à
Dijon. Le premier type que je croise, devant les Etats,
c'est le médecin-major du *Lion*. Je salue. Il me rend
mon salut, de deux doigts au bord du képi, s'incline.
Et se met à sourire. Compris. — A la place, un auxi-
liaire m'informe. L'ordre vient de la direction de
l'artillerie, au ministère de la Guerre. La mesure inso-
lite qui me vise a quelque chose d'exceptionnel et
implique une intervention particulière. Le scribouil-

lard, déjà, me regarde un peu de travers. Demi-tour.
Je vais préparer ma cantine. Puis ce dernier soir, je
dîne une dernière fois avec Jeannette, toute émue. —
Le lendemain, lesté par elle de nonnettes, d'un pot de
moutarde et d'une promesse de m'écrire, j'étais en
route et je rejoignais ma destinée, qui m'attendait à
Folembray, un petit bled pas très rigolo et plutôt
dépourvu de Jeannettes, en pleine forêt de Coucy.

J'ai reçu, en tout et pour tout, trois lettres de Jeannette, qui me donne des nouvelles du *Lion*. Comme
cela, tout à coup, est loin! Il me semble que j'ai quitté
un autre monde. Les lettres de ma petite amie sont
charmantes. Elle écrit fort bien. Elle me regrette et
évoque gentiment — déjà — ce qu'elle appelle nos
souvenirs. *Post-scriptum* de la première lettre : « A
propos, j'ai revu le major. J'étais furieuse, tu penses!
Qu'est-ce que je lui ai passé! » — La deuxième mis-
sive est plus vague. Je suis toujours aimé et un peu
plaint. « Ta Jeannette, à présent, c'est ton canon! »
Post-scriptum encore, au troisième billet : « Je vois
quelquefois le major. Qu'est-ce que tu veux, mon
pauvre loup, c'est la vie. »

Là-dessus s'est fait le silence. Jeannette a cessé de
m'écrire. Le temps a passé. La guerre elle-même a
fini, qui semblait ne jamais devoir finir, et nous
sommes redevenus des hommes différents et nouveaux,
une fois dépouillés le harnois, les pensées et les sou-

venirs de la guerre. Et ce furent d'autres exercices.

Cela ne veut pas dire que j'aie oublié la petite Jeannette de Dijon. Je n'oublie jamais rien de ce que j'ai eu, de ce que j'ai fait, de ce qui m'a été bon, ou triste, ou chaleureux. Quand, à quelle minute précise, et par quelle chimie singulière, ce qui a cessé d'être commence-t-il à fermenter au fond de nous, et, bulle à bulle apparaissant à la surface, commence-t-il à devenir un souvenir, sous les impalpables, les insensibles couches grises de l'oubli, de l'apparent oubli? — J'ai pensé souvent à Jeannette, et à notre brève passionnette, comme elle disait ou m'a écrit. « C'était si gentil... Tu étais gentil. On s'aimait bien... » Ah! jeunesse... Oui, mais tout cela n'est plus. C'est fini, c'est passé et c'est du passé. J'y songe parfois, dans mes retours et mes récapitulations sans gaieté. Et parfois j'en rêve. Que de petits bonheurs, que de minces plaisirs peuvent faire d'amers souvenirs et que les années pèsent lourdement sur nos légères heures d'autrefois! Je ne pense plus à ces moments délicieux qu'autant qu'il m'advient de penser à ma jeunesse, dont elle fut en partie faite. Ces jours sont loin. Pourquoi me suis-je si vite persuadé que la pauvre petite Jeannette était morte?

... Réveil en sursaut. — Qu'est-ce que c'est? — On frappe sans douceur à la porte. Le train est arrêté. Le contrôleur passe sa tête. — « Monsieur, c'est la fron-

tière allemande. La douane va passer pour la visite. »
— Au diable la douane! Je déteste d'être réveillé
en sursaut quand je rêve. J'ouvre mes valises, d'une
main vague... *que la pauvre petite Jeannette était
morte*... Mais non, ce n'est pas cela qu'il demande,
ce colossal Germain vêtu d'une tunique émeraude,
sanglé, astiqué, botté, sous sa casquette d'amiral, entré
brusquement dans le single. — « Passeport? » — « Passeport, voilà mes bagages. » — « Où allez-vous? » —
« A Prague. » — « Pour quoi faire? » — « Des conférences, et chasser. » — « Vous avez des devises étran-
gères? Combien? Combien de marks? » Paperasses.
Regard circulaire. Le type avise mon fusil dans le filet.
J'ai cru qu'il allait avoir un coup de sang. — « Des
armes? » — Où avais-je la tête? Il faut déclarer le
fusil, l'entrée des armes est interdite en Allemagne. Je
le sais très bien, et j'ai même pris, en vue du transit,
une permission spéciale, un triptyque, comme cela
s'appelle. Où ai-je donc fourré mon triptyque?... Ah!
Napoléon n'a pas tort, quand il précise, en connais-
seur, que le courage le plus difficile, c'est le courage
de deux heures du matin : il y faut une présence
d'esprit instantanée. — Voilà le triptyque. Le *zollamts-
vorsteher* l'examine, me fait signe qu'il veut voir aussi
le fusil. J'ouvre la gaine et tire de sa housse le double
canon de mon vieil hammerless; je le tends à l'homme
qui approche de l'acier une lampe de poche, cherche
sur la culasse le numéro matricule de l'arme, et cons-

tate qu'il concorde bien avec celui qui est porté sur le
triptyque. Tout est en règle; et content que tout soit
en règle, l'homme à la tunique d'émeraude me rend
le canon, le papier, claque des talons, me salue, très
poli, avec cette considération subite de toute espèce
d'Allemand à la vue d'un fusil, même de chasse. Il
sourit même. « *Schöne Flinte!* » — Je remets mon
bagage en place; me recouche; essaie de dormir... où
en étais-je?... « que la pauvre petite Jeannette était
morte... »

Ah! oui... pourquoi me suis-je si vite persuadé que
la pauvre petite... Eh! je ne l'ai pas oubliée, bien
sûr!... Le train roule, sur des plaques de fer. Voici
le sol allemand. Est-ce que je veille, ou si je dors, le
corps totalement abandonné, comme dénoué, l'esprit
vague, qui a repris librement sa molle flottaison dans
les nuages?... — Je ne l'ai pas oubliée, ni ce qu'elle
m'a donné, si gracieusement, sans calcul, parce que je
lui plaisais et qu'elle me plaisait : sa gaieté, son rire,
sa tendresse, et son jeune corps frissonnant... Les
années ont fui, je n'ai pas oublié. Même plus d'une
fois je me suis dit, pensif au souvenir des jours insou-
ciants : il faudra que j'aille à Dijon, tâcher de savoir.
Qu'est-elle devenue? Et revoir le *Lion*, sa petite rue,
sa maison. Pourquoi? Ah! grands dieux! sans intention, car je sais trop qu'on ne recommence jamais
rien. Mais savoir, revoir, m'émouvoir — et me retrouver, moi, peut-être, un instant, dans le décor où j'étais

jeune, sous ma capote bleu horizon, et où je fus heureux naïvement, sans le chercher, *sans me préoccuper
du bonheur.*

Pourtant, j'ai passé dix fois par Dijon, dans mes
voyages, et jamais je ne m'y suis arrêté. Paresse, ou
sage méfiance à l'idée de ces inutiles retours? A quoi
bon! On ne ranime jamais ce qui fut — et d'ailleurs,
dès que j'ai un instant pour penser à moi, à ce qui a
été moi, et de moi (quand je dors, parfois), tout m'est
si présent, complètement, instantanément! Vingt ans
ont passé de la sorte. Tout est loin, mais rien n'est
perdu. Vingt ans depuis lors. Que d'événements, de
pensées, d'émotions nouvelles, que de peines et que de
joies, de travaux, de deuils, d'espérances! Et de tout
cela, quelle impalpable poudre grise recouvre mes
vieilles images, mes vieux rêves, toujours intacts et
se refusant à mourir, au fond de mes secrètes cham-
bres! Il faudrait si peu pour les ranimer et leur rendre
leurs fraîches couleurs, comme sur une ancienne pein-
ture, pour la rajeunir des ombres du temps, il suffit
d'un linge mouillé...

Il faudrait être sage, et je ne le suis guère. Il faudrait savoir faire son deuil, à jamais, de toute cette
partie de soi qui a sa face du côté de l'ombre... Ah!
cette impression perpétuelle de gares traversées, dans
un demi-sommeil... ces paysages en fuite, ces choses
mouvantes, tout ce qui bouge, disparaît, à portée de
la main... Cette impression de gares, et ce malaise...

La gare, oui, voilà : et la place de biais. Il y a un court
boulevard, en haut, sur la droite. Je le suis. Ce boulevard me paraît plus long que je ne pensais. J'aperçois la place Darcy et sa porte en arc de triomphe. Et
ce drôle d'accent qu'ont les gens : « Le *mirouère*, le
tirouère, le *trottouère*, à ce *souère*. » — Le café du
Lion est là, à main droite. Je dépasse un premier
café, *la Rotonde*, qui fait l'angle, au coin d'une rue.
Ce n'est pas cela. Le *Lion* est plus loin. J'avance.
Voici le *trottouère*. Il n'y a pas de café. Je ne me
trompe pas, pourtant. C'est bien la même place Darcy,
et, en face, l'*Hôtel de la Cloche*. Il s'est décalé, semble-
t-il. Je le voyais au milieu d'un espace vide, central,
monumental, et il est à gauche, en retrait. C'est
désagréable, ces maisons qui bougent. — J'inspecte,
et fais du regard le tour de la place. Plus de *Lion*.
J'avise un agent, je m'informe. Il n'y a pas de *Lion*
à Dijon. Je dois faire erreur. Est-ce que je ne confonds
pas avec *la Rotonde?*

Non. Tant pis pour le *Lion*. Allons! — Et je vais.
La grande poste est toujours là, et voici, derrière, la
rue en oblique, par où, le premier soir, j'ai ramené
Jeannette chez elle. Nous reverrons cela tout à l'heure.
Pour l'instant, j'enfile la rue du Miroir, base de mes
opérations. La caserne Brune, où j'étais artilleur, se
trouve à son extrémité. Du moins, à l'extrémité du
Miroir, on tourne à droite, à gauche encore, et en
trois minutes on arrive à la caserne Brune. J'y arrive.

Je revois le mur et le corps de garde. — « Canonnier
Poupet, les permissions sont supprimées! » — Qu'est
ceci? Devant le corps de garde, qu'il flanque en
équerre, il y a le portail d'une église jésuite, de beau
style, que j'avais complètement oubliée. Effacée de
mes souvenirs, comme à la gomme. L'esprit simplifie
ce qu'il conserve, assurément. Je n'avais pas conservé
l'église.

Dos à la brave caserne Brune, je repars, d'un pas
militaire, devant moi, me fiant à l'instinct. Je suis le
chemin que je prenais, une fois sauté le mur, les soirs
de Jeannette, pour aller chez elle la rejoindre. De la
grille, je voyais sa chambre éclairée, le rideau relevé
en coin, signe que la voie était libre. Je marche, il
pleut, mais tout va bien. Les yeux fermés je retrou-
verais ma route, comme un somnambule. Le somnambule des années! En effet, voici la place des Etats, son
hémicycle. Le libraire fait toujours le coin (j'y ai
acheté un Ronsard), en face du Palais des Ducs, où se
trouve l'hôtel de ville. Je regarde la noble façade. Et
sous une main peinte en noir sur le mur, l'index indi-
cateur tendu, ces mots qui me frappent : « Etat civil. »
Aussitôt, une pensée funèbre m'envahit. Jeannette est
morte. Il y a vingt ans que je me dis : Jeannette est
morte. Un doute me vient. Et si, après tout... Il faut
savoir, et je vais savoir. Je me détourne; je monte aux
bureaux de l'état civil. Cartonniers. L'odeur d'encre
et de papier timbré. Un employé distrait s'informe :

« Vous désirez? »

Je n'ai pas préparé ce que je vais dire, et je suis surpris.

« Voilà. Je cherche quelqu'un. Je voudrais savoir si vous pourriez m'indiquer la date du décès de Mlle Jeanne... (Ah! j'avais oublié son nom, elle n'était pour moi que Jeannette! et il me vient aux lèvres, naturellement, de lui-même : Jeannette Vianet.)

— Vous savez l'année?

— Non. »

L'homme lève la tête, me regarde et commence à se méfier.

« A quel titre voulez-vous savoir? Vous êtes de la famille? »

Je montre mes papiers, je m'explique. J'ai été soldat à Dijon, il y a des années. Je cherche une jeune fille que j'ai connue, dont on m'a dit qu'elle était morte. L'employé hoche la tête, et sourirait, n'était le lieu. Il ne peut pas me renseigner. Il faudrait connaître l'année du décès, ou encore la rue où demeurait cette personne. Le nom et le quartier suffiraient. On meurt donc tant que cela, à Dijon? La rue où Jeannette habitait? Mais bien sûr : c'était la rue... Ici, arrêt net, devant un trou noir. J'ai l'impression de poser la main sur un objet perdu, qui à l'instant se dématérialise, se dissipe. Singulier malaise. Je ne sais plus le nom de la rue.

« Cherchez, dit l'homme. Rien à faire sans cela. Je regrette. »

Et il se tourne vers une femme en noir, les yeux rouges, survenue sans bruit (j'ai eu presque peur) comme une ombre derrière moi.

« C'est pour une déclaration? »

Il pleut à verse maintenant. Cette lutte, cette fatigue, comme dans un rêve; ce sentiment pénible d'une résistance, comme quand on monte en rêve un escalier dont chaque marche cède sous le pas! N'importe, il faut que je trouve. C'était au-delà du Palais des Ducs, assez loin, il me semble — mais tout de même j'y allais à pied autrefois, et la distance m'était courte. Je marche. Je suis dans la bonne direction et retrouve un chemin connu. Au premier croisement, j'hésite, et cependant je ne sais quel poids, automatiquement, me fait déporter sur la droite. C'est bien cela, je prenais cette rue. Il n'y a qu'à continuer. — Un nouveau carrefour. Il y a longtemps que je marche. Je dois approcher. Comment donc s'appelait cette rue? — Je me souviens d'un mur très long, la maison de Jeannette était sur le trottoir opposé, la troisième ou la quatrième au commencement de la rue, au numéro *onze*. C'est cela! — Bien avancé, avec ce onze! J'erre, tourne, reviens sur mes pas. Rien qui ressemble à ce que je cherche. Pourtant, jusqu'ici, je *retrouvais* le souvenir des lieux traversés. Je brûlais, puis m'avançais trop, m'écartais. Les noms blancs, sur les plaques

bleues, aux croisements, ravivaient en moi, d'une manière étrange, cette certitude absolue du connu et du
déjà vu. Plusieurs fois j'ai cru avoir enfin gagné la
bonne voie. Je me guettais déjà, et mon cri de surprise : Voilà!... Une cloche s'est mise à sonner, d'un
timbre lent, provincial. Cette fois, je frémis. Cette
cloche sonne comme au fond de moi-même, et je l'ai
entendue dans un autre temps. Le temps s'efface. Je
me vois, par une nuit de brume, morfondu, accoté au
mur, surveillant la maison de Jeannette, et son signe,
ou bien son retour. Une cloche a sonné onze heures.
Puis, un peu après, une seconde, et une troisième.
De couvent? d'école? Cela m'a fait rire, ces trois caril-
lons déréglés, sonnant la même heure, l'un après
l'autre. « Allez vous étonner que les femmes ne soient
pas exactes dans ce quartier-là! » La logique parfaite
de cette réflexion me fait éclater de rire, de nouveau
— mais ce rire, *je ne l'entends pas.* Bizarre. Et puis
un fiacre enfin avait tourné au coin de la rue, et Jeannette était dans mes bras.

La rue quoi? La cloche entendue tout à l'heure
n'a pas eu d'écho. Cherchons ailleurs. J'avance et je
tombe sur un boulevard neuf. Il faut que je me sois
égaré. — La maison de Jeannette était un très vieux
pavillon. Il y avait une grille, un petit jardin. On accé-
dait à la maison par un perron de quelques marches,
et la chambre de Jeannette était à main droite, au
rez-de-chaussée. Je me souviens brusquement que la

pièce était carrelée (cette odeur de lampe à pétrole dans l'humidité) et qu'il faisait diablement froid pour se déshabiller, cet hiver-là, avant que de sauter au lit.

Je vais toujours, et il pleut toujours. Ce même froid, au creux des épaules, douloureux, comme d'un vent coulis, dans un train! Je ne cherche plus, je marche devant moi et j'aboutis à une grande place. J'avise tout à coup, sur le terre-plein, un plan vertical de la ville sous une vitre, avec son index. « Je trouverai, bon Dieu! » Je déchiffre des noms de rues, en caractères minuscules. Dédale n'était rien. Ah! voici mieux : sous le plan, un rouleau qu'une manivelle fait tourner. La liste des rues de Dijon. Sauvé! Il s'agit de lire patiemment. Le nom que je cherche, quand il paraîtra sous mes yeux, fulgurera soudain, j'en suis sûr. Va te faire fiche! Je tourne, la bobine se dévide; tous les noms m'accrochent, je crois à chacun trouver le bon — et le suivant m'arrête, lui aussi.

Un agent est venu, me voyant en peine, et il s'offre à m'aider.

« Vous cherchez?

— Je cherche une rue dont je ne sais pas le nom. Quelque part, par là...

— Peut-être que si vous me disiez le nom des personnes?... »

Vais-je lui dire que je cherche une morte?

Je remercie, m'éloigne, et je reprends ma folle pro-

menade. Jusqu'ici, Jeannette en pensée était avec moi,
c'est elle que j'allais rejoindre. Des choses d'autrefois
me revenaient, tristes ou tendres, que je croyais perdues, et qui s'éveillaient mystérieusement dans ma
mémoire fouettée; d'une précision extraordinaire, à
côté de cette brume où mes pas s'égarent. — Une
fois, sa mère était arrivée de Beaune, à l'improviste,
et Jeannette m'a prévenu à temps. Le lendemain, elle
m'a dit : « Maman a couché avec moi, elle m'a câlinée,
j'étais triste et je me faisais petite dans ses bras. Elle
me disait : « Comme tu es câline, ma Nine, comme tu
« es tendre!... » Et moi, je me serrais dans sa chaleur,
mais je ne disais rien, et je fermais les yeux. Je m'imaginais que j'étais blottie contre toi, mon loup, et que
c'étaient les tiens, de bras, qui me berçaient... » — Il
y a aussi cette place où nous nous sommes rencontrés,
un jour, par hasard; et ce banc, où nous nous sommes
assis. — Maintenant, ma quête m'accable. Plus de
Jeannette. Je suis seul. Je n'ai dans la tête qu'un nom
de rue. L'idée fixe, absurde et têtue, où je me bute
obstinément. Comment donc s'appelait cette rue? Où
était-ce? Et puis, si je la trouvais?... Je m'imagine,
l'ayant trouvée; et moi, devant la grille, regardant la
maison, le jardin. Et quoi encore? Le fantôme en bleu
horizon que je ne suis plus? Belle avance! Ah! si pourtant : le nom de la rue me permettrait de retrouver
une date à l'état civil — et d'apprendre que Jeannette
est morte — quand il y a dix ans, vingt ans, que je le

sais! — Toute cette histoire est absurde. Et comme il fait froid!

J'ai froid et j'ai faim. Il pleut toujours, il est cinq heures et j'ai oublié de déjeuner... Ici, un vide : je ne sais plus. Je sais seulement que je me retrouve au centre de la ville. Il y a une fontaine, avec une statue au milieu; le monument de Rude. Place François-Rude. J'ai trouvé ce que je ne cherchais pas. Mais place François-Rude, il y avait Etienne, le petit bistrot où nous dînions, Jeannette et moi. La place n'est pas grande et j'en fais rapidement le tour. Je vois trois, quatre restaurants contigus, mais aucun, naturellement, ne s'appelle Etienne... Est-ce que je vais passer ma journée à courir après ce qui n'est plus? Finissons-en. J'entre au hasard à *la Renommée des coquillages*. Je m'attable. Il n'y a personne à cette heure. Le patron, cordial, apparaît.

« Escargots? Huîtres? Ecrevisses? Viande froide? Le jambon de Prague est très bon. »

Prague? Mais oui, parfaitement, j'y vais. Mais je ne savais pas Dijon sur la ligne.

Ce sera six belons, et trois écrevisses (Jeannette les aimait). Et une bouteille de Meursault.

Puis :

« Dites donc, patron... Un nommé Etienne, qui tenait un petit restaurant par ici... sur cette place, oui... Oh! il y a longtemps, c'était pendant la guerre... Vous ne connaîtriez pas cela, par hasard?

— Etienne? Non. Ce ne serait pas Ernest que vous voulez dire? »

Parbleu oui! Pourquoi Etienne? C'était bien Ernest. Il y avait une servante superbe, une grande brune, les yeux magnifiques, avec aux oreilles des diamants comme des noisettes. Les affaires allaient bien alors.

« Eh bien, vous y êtes, chez Ernest. C'était ici. Il a fini par épouser sa bonne, et il s'est retiré. J'ai pris la suite. Mais c'est pas étonnant si vous ne vous y reconnaissez point. On a démoli la maison voisine et nous faisons l'angle à présent. Et puis, on a coupé la salle en deux. Il y avait des petits salons dans le fond, et la caisse a changé de place. »

Je demande un plan de la ville, et tout en décortiquant mes écrevisses, j'inspecte une fois de plus Dijon et la nomenclature de ses rues. Rien encore. Je m'y perds, tout s'embrouille. « On a démoli la maison voisine... » — J'appelle le patron :

« Voilà. Je cherche une rue que je ne retrouve pas... On a beaucoup construit, à Dijon, depuis la guerre?

— Oui, assez. Surtout de ce côté, il y a un beau boulevard qui n'existait pas. »

Il me montre l'endroit sur la carte. Tout un enchevêtrement de petites rues a disparu. Celle de Jeannette en était sans doute. — « Par là... » J'aurai marché sans le savoir sur l'emplacement de sa maison. Baudelaire a raison. *La forme d'une ville — change plus*

vite, hélas! que le cœur d'un mortel... Il n'y a que les
poètes pour savoir les choses.

L'heure de mon train avance. Il ne cesse pas de
pleuvoir. Place des Etats. Le Miroir. Les marchands
de moutarde et de pains d'épice, cloutés, chamarrés
de fruits confits. La place Darcy. — Ah! j'oubliais!
Le patron de *la Renommée des coquillages* m'a ren-
seigné sur le *Lion*. C'était bien là, mais les Etablisse-
ments Pernod ont racheté l'immeuble, supprimé le
café et modifié la devanture. Je ne me trompais pas.
Un peu avant d'y arriver, je tente une nouvelle expérience : tâcher de retrouver l'endroit sans chercher
la maison Pernod. Au hasard des pas, si l'habitude
ancienne veut bien jouer. — Je marche et m'arrête
en aveugle au bord du trottoir, le visage tourné vers
le centre de la place. Je ferme les yeux, le temps
s'abolit — et j'entends une galopade légère derrière
moi. Et une petite voix d'autrefois : « Je vous demande bien pardon, mais est-ce que vous n'auriez
pas vu le maréchal des logis Bétourné?... » — Je me
suis retourné du coup. Je heurte un passant, qui mau-
grée. « On regarde où on va, bon Dieu! » — C'est
bien cela. La maison Pernod est devant moi, où était
le *Lion*. — Il ne cesse pas de pleuvoir.

Le train roule, secouant ma déception, ma fatigue.
Il n'y avait pas de quoi être gai. Tout était raté, je
me sentais victime d'une escroquerie. Jusque-là, en
dépit du temps, tout était demeuré si fidèle, si sûr et

si proche, à toucher de la main, dans mon souvenir.
Le réel a tout effacé; et ses dures images positives
recouvrent à présent mes songes bafoués... Voilà qui
est vu; je ne remettrai jamais les pieds dans cette
sacrée ville. Elle était plus belle dans mon cœur. —
J'en étais là de mes divagations à la poursuite d'une
morte à travers une ville transformée, quand une idée
réellement affreuse m'est venue. Et si j'avais retrouvé
la rue, la maison, et Jeannette vivante encore, vieillie,
avilie, la voix éraillée — avec le métier qu'elle faisait!
— Quelle horreur! Imprudent que je suis! Je passe
la main sur mon front, comme au sortir d'un mauvais
rêve. Tout est bien ainsi. Une fois de plus, tout est
bien. Quand tout a changé — et moi donc! — Jeannette morte, Jeannette seule est restée la même :
comme je l'ai aimée, comme je la vois toujours, et
comme je suis le seul sans doute à me la rappeler
aujourd'hui — une Jeannette de vingt ans...

Bon Dieu! que ce train est mal attelé!... Arrêt
brusque. Où sommes-nous donc? On parle allemand
dans le couloir. Par l'entrebâillement du rideau,
j'aperçois, de dos, au milieu de ses mallettes, sur le
quai, la voyageuse d'hier soir dans les bras d'un beau
jeune homme brun. Et un grand écriteau où je lis,
noir sur blanc, en lettres gothiques : Nuremberg.

III

LA DAME DE SAINT-JACQUES

Prague est une ville hallucinante. Cela fait trois fois que j'y viens, et chaque fois, comme au premier jour, après l'avoir désirée vingt ans, cette ville m'enchante et me tue. Voilà la folie du voyage. A peine ai-je mis le pied dans la rue, je ne peux plus tenir en place. Ma curiosité me déporte, je veux tout voir et tout m'amuse, la boutique et le monument, le musée, le marché, les gens, la rivière, le pont, les cafés et le bibelot, les vivants du jour que la cohue entraîne, et les ombres pour moi toujours vivantes d'autrefois. Tout de suite, je me sens perdu et comme débordé, dans ma hâte fiévreuse d'investir, mon besoin de tout à la fois, comme si je devais repartir le soir, avant d'avoir tout vu, tout possédé et tout rangé dans mon esprit, d'un lieu où je ne reviendrais plus, que je vais quitter à jamais, sans être assuré de m'en souvenir

exactement. Cette ville tant désirée va-t-elle me claquer dans la main, disparaître ou se refermer avant
que je m'en sois fait une idée? — Ainsi jadis à Rome,
à Marrakech, à Vienne, à Venise, à Copenhague. L'âge
ne m'a pas réformé. C'est toujours, où que j'aille, loin
de chez moi, cette impression délicieuse et excitante
de vacances, et comme aux jours de mon enfance, au
théâtre, devant la féerie, ce sentiment déchirant que
tout va finir, que le spectacle va s'éteindre, la toile
du rideau va baisser, et sonner l'heure du retour,
avant d'avoir joui, avant d'avoir embrassé pleinement
le bonheur.

J'étais donc à Prague depuis deux jours, et fourbu,
mais non rassasié. J'avais couru vers la rivière revoir
le pont Charles, et sur la colline de Strahov, au-dessus
de Mala Strana, l'étrange entassement de toits, de
coupoles, de tours, de flèches, de palais, que couronne
l'imposant édifice du château royal, le Hradschin.
J'étais monté, par les pentes abruptes de Mala Strana,
à l'admirable église jésuite de Saint-Nicolas au dôme
vert, chef-d'œuvre du baroque noble, où parmi les
marbres divers, dans le renflement des balustres et
la brisure des corniches contrariées, dansent sur leurs
socles d'extravagants évêques de pierre peinte et dorée.
L'un s'avance et brandit sa crosse, l'autre agite à la
main les fers rompus de l'esclavage. Un autre foule
du pied l'hérésie, un quatrième tient un livre dont
l'éloquence le jette en extase... Je suis allé de là poser

ma carte à la légation de France, et j'ai fait un détour
pour passer devant l'hôtel de la Licorne, où Beethoven
a habité. Cela m'a fait penser à Mozart, et au petit
appartement de la Bertramka où il a composé *Don
Juan* : il m'a fallu accomplir aussitôt ce pèlerinage.
J'ai visité le fastueux palais Wallenstein, aux larges
cours, aux toits de tuile ronde, d'un rouge sombre,
comme de sang caillé. Il y avait une exposition d'art
baroque, tout un peuple d'énormes statues gesticu-
lantes, faites pour émouvoir en trompe-l'œil, au sommet d'un porche ou dans un calvaire élevé, perdues au
fond d'une perspective sylvestre; mais à examiner de
près, dans l'absence de recul d'un musée, taillées à la
serpe et déformées par l'excès de style, jusqu'à la
hideur. J'ai vu là, dans une vitrine, la petite épée
du héros de la guerre de Trente ans, et dans une autre,
un col de dentelles du temps de Louis XIII, à l'encolure festonnée d'une singulière tache noire : le col
ensanglanté que portait sur lui, à l'heure du billot
et de la hache, un des nobles vaincus de la Montagne
Blanche, qui furent décapités le 21 juin 1621, sur la
place de l'Hôtel-de-Ville. J'ai vu l'hôtel de ville et sa
tour, et l'horloge de Tycho Brahé, j'ai vu le Tyn,
engagé dans une gangue de maisons peintes, sous ses
clochetons qui font penser à la marotte d'un bouf-
fon... Quoi encore? Mille délicieuses façades, fardées
de jonquille et de rose, des toits et des pignons de
toutes formes, des rues tortes, des places de guingois,

des églises qui semblent venues d'Italie avec leurs
campaniles ajourés, et d'autres qui semblent venir
de Russie, sous leur coiffe de clochers bulbeux; des
portiques, des cours, des trophées, des passages cou-
verts, des balcons soutenus d'Atlantes et de fabuleux
animaux; de vieux quartiers et des places neuves, des
devantures illuminées, des jambonneries prodigieuses,
des boutiques d'armuriers et de masques à gaz, des
objets de cuir admirables, des étalages de chapeaux,
de gants, de cravates et de vêtements de chasse à rêver
des heures sur une vareuse d'antilope, un gilet de
gazelle à faire des folies. — Comptez-vous pour rien
le plaisir du *shoping*, en voyage? Flâner devant ce qui
se porte ou se mange est aussi nécessaire au curieux
du monde que la visite au port, au marché aux fleurs,
à la cathédrale, au cimetière. Comment vivent ces
étrangers, qu'est-ce qu'ils boivent, qu'aiment-ils?...
Ces chapelets de saucisses et ces guirlandes d'oies
rôties, ces viviers de carpes, ces amoncellements de
pâtisseries, sous la vitre des boutiques pragoises, cela
vaut une leçon d'histoire, et beaucoup mieux qu'un
rapport à la Société des Nations, cela fait instantanément comprendre pourquoi la Bohême est si dési-
rable à ses voisins, et les comestibles dessous du problème des minorités.

Bref, sans parler de quelques stations nocturnes
en compagnie d'amis très informés de toutes choses
dans les vinarnas et autres lieux de désaltération bien

faits pour le contentement de la soif et l'étude des
mœurs — et sans faire état de cette espèce d'impos-
sibilité que j'éprouve, en voyage, à m'aller coucher,
c'est-à-dire à perdre en sommeil un temps précieux
pour mon instruction et mon plaisir, — après deux
jours, j'étais fourbu. Heureusement, dans les voyages,
il y a les églises, pour le repos du voyageur et la
détente aux plus fiévreux excès de la manie ambu-
latoire. J'aime ces lieux d'apaisement, et dans les
tourbillons du nomadisme, ce retour au calme qu'ils
proposent, en la contemplation de ce qui dure. Il est
bon de se défatiguer dans l'éternel.

J'étais entré, derrière l'Ungelt, dans l'église Saint-
Jacques dont, sous la façade tourmentée, l'apparence
plutôt pauvre est pacifiante. C'était vers la fin du jour,
l'intérieur du monument baignait dans l'ombre. Une
vieille immobile en prière, les mains allongées jointes
à la hauteur de son visage, et les yeux clos, près de
l'entrée, figurait assez bien ce bonheur dans l'oubli
du monde que la véritable piété dispense aux croyants.
Je m'assis sur un banc, touché moi-même par cette
paix, cette douceur, et l'ambiance agissant aussitôt,
je me laissai aller à l'abandon de mes pensées, dans
le silence, et au recensement de mes images. Des ors
reluisaient chaudement à travers l'ombre, et d'abord
ce fut délicieux, ce vague et cette rêverie, après tant
d'heures de marches et de contremarches, de poursuite et d'agitation. Puis, comme si quelque nuage,

au-dehors, en disparaissant, avait rendu plus vive la
lumière du jour, ou soit que mes regards se fussent
accoutumés à l'obscurité, l'intérieur de Saint-Jacques
m'apparut, habité d'une lueur diffuse et d'instant en
instant propagée jusques à la voûte, dans les coins
jusque-là plus sombres. Et ce que je vis m'étonna et
me fit brusquement sortir de ma torpeur.

Saint-Jacques est en effet une église du plus pur
baroque, si ces mots peuvent s'accorder, car la pureté
et la simplicité vont de pair, et le baroque n'est pas
simple. Après ce premier moment de bonheur, assis
dans cette ombre, parmi ces doux rayonnements,
je me sentis pris et soulevé dans une sorte de tour-
billon architectural extraordinaire. Tout était mouvement, pulsation; tout bougeait, remuait, tournait, on-
dulait, miroitait, tout brillait et tout scintillait, c'était
un tumulte de formes, une palpitation, une diversité
prodigieuse de couleurs, attirant l'œil, intriguant l'esprit, s'imposant à lui et le requérant d'un côté, puis
de l'autre, sans lui permettre un seul instant de se
fixer, de contempler en paix, de définir le spectacle
prestigieux qui se donnait dans cette église devant lui.
Je ne rêve pas, je n'ai pas bu trop de *slivovice*, j'ai la
tête parfaitement sur les épaules et ne suis point sujet
aux hallucinations. J'étais dans une église baroque
et il ne s'agissait pas d'un tremblement de terre. Mais
il n'y avait pas une seule ligne droite, pas une seule
surface immobile; pas un plan ne demeurait stable,

au repos. La colonne était une spirale, le rocher d'or figurant l'autel, asymétrique, bossué, où la lumière vacillante des bougies faisait mouvoir un jeu continu de reflets et d'ombres, avait l'air de respirer, la corniche tournait, se brisait et repartait à contrepied, le marbre amolli épousait la forme incurvée d'une vague, et le basalte gauchissait; les orgues bombaient leurs tubulures de métal sur un buffet qui paraissait par endroits gonflé ou battu de son propre vent. Les ferronneries noires et dorées de la tribune avaient des renflements de corbeille, les loggias grillées du transept avaient l'air de loges d'opéra. On ne savait sur quoi posait la chaire, soutenue d'angelots volant en tous sens. Les balustres de marbre de la galerie, en tournant au-dessus du chœur, fuyaient dans une perspective aérienne et donnaient l'illusion d'une chute. Tout montait et tout retombait. La décoration participait à ces voltes, et mêlant formes, couleurs, matériaux, ajoutait à cette bacchanale. Le losange était de porphyre, la rosace de malachite, l'assise de la colonne en cipolin jaune. Il y avait des gloires, des nuages, des triangles, des auréoles d'or, des guirlandes, des trophées; des fleurs et des rinceaux de stuc de toutes nuances couraient, tournaient, s'amenuisaient sur les surfaces lisses. Les statues dansaient sur les socles, de saints en extase, d'apôtres fulminants, d'anges précipités, les bras tendus et les ailes ouvertes, dans des plis de robe excessifs. Une fresque emplissait le plafond, épousant les ondulations de la voûte, et, sur les bords, un bras, une jambe, le fer d'une lance ou la volute d'un nuage, en relief et sortant de la zone peinte, achevait en l'air le trompe-l'œil. Tout cela, épuisant à suivre, à déterminer du regard, engendrait une sorte effrayante et presque douloureuse de vertige, de torticolis et de mal de mer. C'était un branle-bas, un tohu-bohu, une bourrasque, un tourbillonnement exhaustif, un extravagant final de ballet : l'ecclesia-buffa au paroxysme.

J'aime le baroque, je l'avoue. Il m'amuse. Il implique, de la part de ses architectes, de ses ordonnateurs, une agilité exceptionnelle de l'esprit, un sens aigu du contrepoint, le génie du fantasque et de l'inattendu; et, de la part de l'Eglise qui s'en est servi, une intelligence profonde du merveilleux terrestre, propre à séduire l'imagination naïve du peuple. Je réserve le goût grec, et le sublime lyrique du gothique. Mais cet art baroque me divertit, comme les arabesques d'Orient qui, tournant sans fin, dans leur tarabiscotage abstrait, fournissent à la rêverie une piste de détours sans fin. Cependant cette église Saint-Jacques de Prague est plus faite pour la distraction que pour la prière, et loin d'y avoir trouvé le repos que j'étais venu y chercher, j'éprouvais de cet examen une véritable courbature de l'esprit, du même genre que celle qu'on attrape à jouer aux échecs quand on n'y est pas entraîné.

Afin de m'arracher à ce vertige, j'avais pris mon
remède habituel : mon carnet de poche et mon crayon,
pour essayer de réduire ces images confuses en quelques lignes d'écriture. J'étais là, sur mon banc, m'exer-
çant à ces pacifiantes analyses, et je devais rêver, le
nez en l'air, le crayon aux doigts, quand une voix me
fit tressaillir. C'était une femme que je n'avais pas
vue arriver, perdu dans mes réflexions sur le baroque,
et qui assise sur le même banc que moi, se penchant
un peu, me demandait en très bon français de vouloir
bien lui prêter, une minute, mon crayon et un bout
de papier. — Je donnai le crayon, et arrachant un
feuillet de mon calepin, je le tendis à l'inconnue, qui
me remercia d'un signe de tête, et se mit à écrire
tranquillement sur ses genoux, son sac à main lui
servant de pupitre. Au bout d'un instant, elle me
rendit le stylomine, glissa le feuillet dans son sac.
J'avais repris mes écritures — la dame s'était levée.
J'aperçus dans le contre-jour une élégante silhouette,
et quoique toujours persuadé qu'en voyage il ne se
passe jamais rien — n'étant pas romancier, peut-être,
pour des prunes, l'idée me vint que j'aurais dû regarder cette personne, de gracieuse allure, qui venait faire
sa correspondance dans les églises. Et je me levais,
sans autre intention d'ailleurs que de la croiser à la
sortie, pour voir quel visage elle avait (de ma place,
je n'avais pu distinguer ses traits) — lorsque passant
devant celle qu'elle venait de quitter, j'aperçus un

papier à terre. Je le ramassai. « Il a dû tomber de
son sac. » Excellente entrée en matière. D'un pas
délibéré, je me dirigeai vers la porte, que l'inconnue
franchissait à peine. Mais un groupe de plusieurs personnes entrait justement sur ses pas, je m'effaçai pour
le laiser passer. — Un jeune homme, entré le dernier,
me tenait poliment le tambour. A ma vue, il se récria :

« Comment, vous ici! Mais quand êtes-vous arrivé? »

Après une légère hésitation, car j'avais oublié son
visage, et je ne pensais pas à lui, je reconnus le Diplomate.

Il s'appelait Philippe de Saint-Elme, et il remplissait
à la légation de France l'emploi de troisième secrétaire. Je l'avais connu autrefois à Paris, où on le rencontre partout, chez Lipp, à la suite de Léon-Paul
Fargue, dans les expositions surréalistes, et je venais
de correspondre avec lui, au sujet de mes conférences
et, accessoirement, de la possibilité d'aller tirer quelques perdreaux en Bohême. C'est pour les perdreaux
de Bohême que j'ai apporté mon fusil dans mon
bagage, et pas du tout, comme le supposait aimablement un de mes confrères parisiens, pour être plus sûr
de ne pas rater mes auditeurs.

Philippe de Saint-Elme est un de ces hommes du
monde qui, à Paris, ont toujours l'air de sucer la plus
amère coloquinte, et, vous disant bonjour d'un ton
ennuyé et distrait, de ne vous tendre un doigt parci-
monieux que pour vous tenir à distance, et encore

quand ils vous reconnaissent; mais qui, si on les rencontre à l'étranger, deviennent extrêmement polis et même quelquefois familiers, pour prouver aux autres, sans doute, qu'ils ont beaucoup de relations. — Philippe de Saint-Elme, au moment où j'étais si pressé, parut enchanté de me voir. Il m'exposa, sur le timbre le plus élevé, qu'il pilotait un petit groupe d'amis particulièrement distingués, dont une altesse; qu'on s'était occupé de moi à la légation, que tout s'annonçait pour le mieux au sujet de mes conférences. Quant à la chasse, il avait arrangé mon affaire, dans les meilleures conditions, devant lui-même prendre part à d'intéressantes battues de perdreaux en Moravie, où je serais invité aussi. Parfait; mais j'allais rater la dame au crayon, et Saint-Elme me vit impatient, tandis que ses amis eux-mêmes, l'attendant, commençaient à marquer le pas. Au moment où j'allais me dégager, il me retint :

« Ah! j'oubliais, dit-il, l'essentiel... Si même vous avez envie d'aller tirer quelques mouflons chez l'archevêque d'Olomucz, il ne tient qu'à vous. Téléphonez-moi un de ces matins... »

Je déteste être retenu, quand j'ai affaire, et je me moquais pas mal des mouflons, dans ce moment-là; j'envoyais au diable le trop obligeant Diplomate. Libre enfin, je sortis. La rue était vide, l'inconnue avait disparu; elle ne pouvait pas être très loin. M'étant assuré que je ne l'apercevais ni sur la droite, ni sur la gauche, je me dis qu'elle avait dû prendre à travers l'Ungelt, et m'engageai dans ce passage tortueux, où je ne vis personne. C'est presque en courant que j'arrivai sur la place de l'Hôtel-de-Ville, pour m'aviser à la fois de ma déconvenue et d'une hâte ridicule, d'autant que j'avais toujours à la main le papier ramassé à Saint-Jacques. Je le regardai machinalement; c'était un billet de quelques lignes, rédigé dans une langue étrangère qui m'était pleinement inconnue. Je haussai l'épaule, en glissant le papier dans ma poche. Et me trouvant vaquant et indécis sur le trottoir, je me pris à rire de moi-même, et de mes folles imaginations. « Gérard a raison, me disais-je; il ne se passe jamais rien. »

Sur quoi j'entrai dans la première vinarna, et m'étant fait porter de la bière, je tirai de ma poche mon petit carnet, pour noter quelque observation sur le baroque et, ayant assez déambulé ce jour-là, examiner mon emploi du temps.

Mes conférences, d'abord. J'en dois faire trois, à Prague, à Pilsen, à Bratislava. J'en ai le texte dans ma valise, les dates sont déjà retenues. Dans l'intervalle, je suis libre, et j'ai idée d'en profiter pour me promener en Bohême, si je puis faire coïncider les perdreaux promis et quelques curiosités que j'ai, en cours de route, indiquées sur mon calepin. Je lis, au hasard : — Tâcher d'aller voir le château de Dux où Casanova a vécu les dernières années de sa vie; où

il a écrit ses *Mémoires* et où il est mort. — Visiter
le champ de bataille d'Austerlitz, si je vais du côté
de Brno. C'est faisable. — Il y a peut-être une étude
à faire sur les Français venus à Prague : Vauvenargues,
campagne de 1742; Chateaubriand, sa visite à Charles X exilé, au Hradschin; Elémir Bourges, qui a
placé à Prague la scène des *Oiseaux s'envolent*. Et
le vrai Faust qui, dit-on, a vécu ici, où il y aurait
encore sa maison a repérer. — Qu'est-ce que c'est
que le Golem? Aller revoir le cimetière juif, déjà vu
à mon premier passage. — Cartes postales à envoyer,
suit une liste d'amis : ce sera, comme toujours, à
faire la veille de mon départ, rien ne presse. — Rêvé
de Jeannette, dans le train. Impression bizarre. Pourquoi ce rêve, après vingt ans? — A Prague, voir Rojak,
Glinka, Baury, Valivec : un feuillet d'adresses. —
Un chiffre en travers d'une page : 393666... Qu'est-ce
que c'est que ça?... Que signifie ce chiffre?... Ah! j'y
suis : c'est le matricule de mon fusil, que j'avais noté
avant d'aller prendre mon triptyque, à la douane.
Suivent, sur la page voisine, des vers commencés, ina-
chevés naturellement. Je n'écris plus de vers, triste
signe. La poésie, pour moi, s'est déplacée.

Reprenons : conférences, Dux, Austerlitz. Il faudra
demander des renseignements à Saint-Elme. — A propos! ne pas oublier les mouflons de l'archevêque
d'Olomucz. — Pourquoi l'archevêque d'Olomucz? Ça
a l'air d'une farce. — Je rouvre mon carnet et j'ajoute,

à la page des « Choses à faire » : « Et aller chasser
le mouflon chez l'archevêque d'Olomucz. » — Ce
projet est assez flatteur. — En attendant, si j'allais à
Marienbad?... Quelle idée! Trois ou quatre jours dans
la verdure, le silence et la solitude. L'endroit est joli,
paraît-il. Ce n'est pas loin de Dux, où je pourrai faire
mon petit pèlerinage à ce vieux fou de Casanova. —
Excellente idée. Je coucherai demain soir à Marienbad.

IV

RENCONTRE D'UN CASANOVISTE

POURQUOI me suis-je persuadé que Jeannette... Non,
c'est trop absurde, vraiment! Encore un effet du
baroque, dans cette église giratoire, où tout était
déraisonnable. C'est bien amusant de rêver, mais enfin,
il faudrait aussi quelquefois songer aux choses positives. Et dans ce pays, on est servi, hors la poésie du
décor, en fait de choses positives : à savoir si demain,
la semaine prochaine, dans un mois, nous ne serons
pas sac au dos, en train de jeter des grenades, et d'en
recevoir, dans quelque nouvelle tranchée de Cham-
pagne, sur l'Yser ou devant Verdun! On ne parle
que de cela, ici, en ce moment.

Rien tel que sortir de chez soi pour apprendre la
géographie et l'histoire. Je suis venu voir une ville
d'art, et je tombe en plein grabuge politique. Qu'est-ce
que c'est donc que ce problème tchécoslovaque? —

de la lune pour y assister dans l'indifférence, assuré
de ne pas sauter au banco final. L'Allemagne en
Bohême, c'est du coup Paris bombardé, si la France
proteste, et la moitié de l'armée allemande sur le
Rhin. Ou bien la France consentante, et réduite dans
le déshonneur au rôle pur et simple d'une vague petite
presqu'île, à la pointe occidentale de l'Europe, la Ger-
manie toute-puissante assurée de cent ans d'hégé-
monie devant soi.

... De quoi je me mêle, grands dieux! Et quelle
confusion des genres, cette tragédie dans un roman,
cette politique dans un simple récit de voyage! — Il
me revient très à propos une anecdote, cependant. —
Le bon Théophile Gautier étant allé faire une promenade en Espagne, il en revint avec un livre. *Tra los
montes*, comme de juste — au barbarisme près : il
fallait *Tras*. — Dans *Tra los montes*, il y avait beaucoup de style, de la couleur et de la pouillerie, des
visites de musées, des descriptions de cathédrales, des
portraits de gueux, de brigands, de danseuses, des
courses de taureaux, des histoires d'auberge, de la
poésie, du safran, des œillets poivrés dans les cheveux
des filles, des patios arabes et des jets d'eau chantant
dans des vasques, des Grecos à la plume et des Zur-
barans en prose pittoresque; et tout le talent de
Gautier. Or Gautier n'était allé voir en Espagne que
ce qu'il aimait à l'ordinaire dans le spectacle matériel
du monde : des images et de la couleur. Si bien

qu'ayant lu *Tra los montes,* Mme de Girardin, repo-
sant le livre, lui dit : « Alors, en Espagne, Théo, il
n'y a donc pas d'Espagnols? »

Cette historiette me revient, au milieu de mes curiosités pragoises, dans mes stations de Saint-Nicolas, de
Strahov ou de Saint-Jacques, ou sur le pont Charles,
à l'endroit précis où, pour n'avoir pas voulu livrer
la confession de la reine, le saint chanoine Jean Népomucène fut jeté par un méchant roi dans la Vltava,
où l'on vit, parmi les remous du fleuve, une couronne d'étoiles paraître et briller sur les eaux, quand
elles se furent refermées sur le corps noyé du martyr.
— N'aurais-je donc de cœur que pour des fantômes,
d'yeux que pour des effets d'architecture, de présence
en tous lieux que pour des absents? Je me suis ému
hier sur un col de dentelle ensanglanté ramassé comme
une relique sur le corps d'un décapité de la veille,
il y a trois siècles. Et je resterais froid et sans imagination pour le massacre universel qui se prépare,
dans ces mêmes lieux de table verte et de danse ma-
cabre? Gautier lui-même, aujourd'hui, à Prague, serait
bien forcé de convenir qu'il y a des Tchèques, et que
l'on ne peut plus choisir aussi librement ses sujets
de délectation, dans le monde, en 1937 qu'en 1835. —
Plein d'amitié pour ce pays, de souci pour son avenir,
inquiet de ce qui le menace, je fais part du scrupule
qui m'agite, en mes flâneries de touriste, à mon excellent ami Valivec, qui m'accompagne, ce matin, dans

mes promenades. Il me répond, d'une voix tranquille, ce patriote doublé d'un sage :

« Aimez de nous ce qu'il vous plaira, dans nos musées, dans notre histoire. C'est tout un. Oui certainement, Masaryk et Benès ont beaucoup fait pour notre pays. Mais le pont Charles aussi a fait beaucoup, depuis huit siècles. »

Voilà le point, qui porte à rêver. Il y a une vieille patrie tchèque, et ces monuments qui m'entourent, à ses fils, parlent haut d'une vieille histoire, pleine d'héroïques malheurs et d'aventures glorieuses. En sorte que je me dis aussi que c'est, pour l'esprit, une très merveilleuse aventure à imaginer que cette rêverie de professeurs enflammés d'amour et de séculaires raisons d'espérer, sur ce thème de l'indépendance de leur patrie vassalisée — et cette rêverie, sortant du domaine de la conjecture et de la philosophie historique, prenant corps, entrant dans le monde du possible, et devenant enfin, tout à coup, une réalité. Quand le patriote Benès, étudiant le droit à Dijon, vers 1906 ou 1908, pensait aux destinées de la Bohême, province d'Autriche, a-t-il pu seulement entrevoir et penser comme une chose possible, ou même jamais vraisemblable, cette reconstitution de son pays, sa résurrection à l'air libre?... Le beau thème à imaginer!

J'imaginais ce thème. J'en étais ému. Et une petite phrase, parmi les choses remuées, se mit à danser

soudain dans mon esprit. « Quand le patriote Benès
étudiant le droit à Dijon... » — Dijon me poursuit,
décidément.

« Toujours, de tout temps, bien avant la guerre,
continue à côté de moi Valivec, devant les statues du
pont Charles, les jeunes Tchèques allaient achever en
France leurs études. Savez-vous que le français est
obligatoire dans nos écoles? Les Tchèques ont toujours aimé les Français. Les premières voix qui se
sont élevées, en Europe, contre l'annexion de l'Alsace-
Lorraine, avant même le fait accompli, ce furent des
voix tchèques, en pleine diète de Bohême, le 8 décembre 1870. Il y avait à l'Ecole de droit, dans la
Faculté de Dijon, particulièrement, beaucoup de nos
compatriotes. Encore maintenant. La vie est si délicieuse en France, pour les jeunes gens... »

C'est alors, entendant cela, que je me suis souvenu,
d'une façon absolument précise, certaine et comme
illuminante, que le petit fiancé de Jeannette, à qui
nous avions envoyé par jeu cette bague dans une boîte
d'allumettes, portait un nom étranger. — Si Jeannette
avait été fiancée à un Tchèque? — Mais non! Pouvait-
il y avoir, en 1917, à Dijon, des étudiants tchèques,
à cette date sujets autrichiens? Il est vrai que le fiancé
de Jeannette n'était plus à Dijon en 1917. Dans un
camp de concentration? Ou bien en Suisse, par exemple? — Mais alors fiancés de quand? En 1914, Jeannette aurait été trop jeune. — Il faudrait donc que

ces amoureux se soient connus en Suisse, si Suisse il
y a, pendant la guerre. C'est possible. J'ai connu Jeannette en 17, et elle ne m'a pas raconté ses antécédents,
nous avions mieux à faire en nos rencontres. Elle
avait « un petit fiancé », c'est tout, avec lequel elle
se conduisait, il faut le dire, assez légèrement. —
Mais je m'égare. — C'est curieux, depuis le rêve dans
le train, cette présence, cette sorte d'obsession d'une
ombre, comme un phalène, virevoltant autour de
moi...

J'ai quitté Valivec près du joli Théâtre des Etats,
où *Don Juan* fut représenté pour la première fois.
— « Pas une note de plus qu'il ne faut, Monseigneur. »
Valivec m'a signalé, non loin, une librairie où l'on
trouve quelquefois des livres français. Je m'arrête à la
devanture. Autre guitare : la bibliophilie à Prague!
Nos passions nous suivent partout. A travers la vitre,
voici en effet le rayon français : *Confessions* de saint
Augustin, Le Nain de Tillemont, *l'Ane d'or,* et les
Discours de Cicéron. Rien pour moi. *Fabiola*... pas
davantage. J'entre dans la boutique, cependant. Le
libraire est aimable et parle français. Il m'ouvre une
vitrine fermée, je donne un coup d'œil sur la première
tablette. Dieu du ciel! Ce mince volume, dans sa
vieille basane au dos orné à la grotesque, où je lis ces
deux mots : *Ma fuite*... Quoi! Serait-ce?... J'en ai la
respiration coupée, et j'hésite à prendre l'objet, trop
sûr déjà d'être déçu. Je le prends pourtant, j'ouvre

le livre — et tout à coup j'affecte l'air le plus indifférent. C'est bien elle, l'introuvable *Histoire de ma
fuite des prisons de la République de Venise qu'on
appelle les Plombs, écrite à Dux en Bohême l'année* 1787. *A Leipzig chez le noble de Schönfeld,* 1788,
*avec deux figures gravées par Berkä... Ma fuite des
plombs,* de Casanova, dans son édition princeps! Il y
a vingt ans que je la cherche, sans en avoir jamais
rencontré un seul exemplaire! — Je feuillette le précieux bouquin. La reliure allemande est un peu gros-
sière, mais l'intérieur est propre, grand de marges. Je
demande, sans paraître ému : « Quel est le prix? »
Le marchand me regarde, hésite, dit une somme raisonnable, en couronnes. Je fais un calcul mental, avec
une dextérité de changeur, dont la rapidité me
confond. L'homme croit que j'ai trouvé le prix trop
élevé. Il intervient :

« C'est l'édition originale, elle est rare. Si vous
voulez, je vous ferai l'*esconto*...

— L'exemplaire est bien complet?

— Je l'ai collationné moi-même. Il manque seulement le faux titre, c'est pourquoi je fais l'*esconto*... »

Je ne lâche pas le bouquin. Je tire mon portefeuille,
paie.

« Voulez-vous que je l'enveloppe? »

Pour rien au monde je ne lâcherais ma trouvaille.
Si ce type allait se raviser!... Je mets l'exemplaire dans
ma poche, et je continue l'exploration des tablettes.

Quel charmant homme que ce libraire! Nous causons.
Il voit que je m'intéresse à la littérature. Il m'enverra
ses catalogues et me demande mon adresse, s'exclame
aussitôt sur mon nom. Il a vu annoncer ma conférence; il y viendra. Bref, nous voilà en amitié, cau-
sant bouquins. La porte s'ouvre. Un client paraît.
Je retourne à mon bouquinage. Le nouveau venu
s'adresse en allemand au libraire.

« *Haben Sie noch immer nichts von Casanova,
oder über ihn?* »

Je tourne la tête, sur ce nom de Casanova. L'amateur est un gros petit homme à lunettes, rasé, l'épaule
ronde, l'air chafouin. Le libraire n'a pas bougé de
place, et il est devenu beaucoup moins aimable. Je
l'entends seulement répondre : « *Nichts.* » — Et,
après un temps, avec un imperceptible sourire : « *Zu
spät.* » (Trop tard.) Je ne parle pas très bien l'allemand, mais je le comprends assez pour percevoir le
dialogue des deux hommes. Et ce sardonique : « Trop
tard! » du changeant libraire m'a fait dresser l'oreille
malgré moi. Le libraire dit, très dégagé :

« J'avais l'édition originale de la *Fuite des Plombs,*
de 1788, en reliure ancienne. Un bel exemplaire. Ce
monsieur français vient de l'acheter. »

Je regardais le gros inconnu, à ce moment. Il me
fit l'effet d'avoir reçu une décharge. Il devint très
rouge, fit : « *Ach! nein, unmöglich!* » Il s'avança d'un
pas vers moi, et en français, avec un fort accent :

« Monsieur, est-il possible? *Ma fuite des Plombs,* par Casanova de Seingalt!... Cet homme dit vrai? Vous l'avez trouvé? »

Je montrai le petit volume. Il me demanda la permission de le toucher. Il le feuilleta lentement.

« Vous ne voulez pas me le céder? Je vous donnerais un bon prix. Je ne sais ce que vous l'avez payé, mais je vous offre le double. »

Je me mis à rire.

« Je n'achète pas des livres pour les revendre, lui dis-je. D'ailleurs, vous devez savoir que celui-ci est assez rare, et je sens déjà que j'y tiens beaucoup. »

L'amateur de Casanova hocha la tête. Il continua un moment de feuilleter le livre, et il me le rendit, à regret. Une petite flamme méchante brilla derrière ses besicles, et il dit :

« D'ailleurs, il manque le faux titre. »

A quoi je compris aussitôt que mon interlocuteur était un vrai bibliophile. — Cela me rappelle une histoire. Je rencontre un jour Vandérem, chez un bouquiniste. Je venais d'acquérir un charmant exemplaire du *Point de lendemain* de Vivant Denon, l'originale de 1812, sur vélin, et dans une demi-reliure de Simier. Je n'y puis tenir, et je le montre à Vandérem. Il l'examine, me le rend.

« Il n'y a pas le portrait, dit-il.

— Ce n'est pas une tare, vous le savez bien. Le

portrait a été tiré après coup et n'appartient pas à l'édition.

— Je le sais, répond Vandérem; mais, cher ami, à quoi servirait la bibliophilie, si ce n'était à embêter les bibliophiles? »

Mon amateur casanovien devait être un type dans le genre de Vandérem, sur ce point du moins, car il était aussi moins drôle. Le libraire s'était replongé dans ses fiches. L'autre tournait autour de moi.

« Vous vous intéressez au Chevalier? »

J'en convins. C'est un sujet de conversation iné-puisable que Casanova, entre familiers des *Mémoires,* et tout de suite on peut s'entendre. L'inconnu parais-sait très bien connaître son affaire, le caractère du personnage, toutes les circonstances de sa vie. Il en parlait avec chaleur, cette chaleur me le fit trouver moins laid et moins désagréable qu'au premier abord. Il dut voir aussi que je possédais bien l'aventurier, et il me regardait assez curieusement. Il me dit qu'il était, non point Allemand comme je l'avais cru, mais Balte, professeur d'art baroque et bibliothécaire à l'Université de Kaunas, et préparait en même temps une thèse sur les influences manuélines dans l'art baroque en Europe centrale, ainsi qu'une monogra-phie sur les divers séjours de Casanova à Prague.

« C'est un sujet intéressant, dis-je; car il n'en parle pas dans ses *Mémoires.* »

Nous échangeâmes quelques propos — puis le doctor *balticus* me demanda :

« Est-ce que vous êtes allé à Dux? »

Je répondis que je n'avais pas fait encore cette promenade, mais que je l'avais dans mes projets, et, si j'en avais le temps, que je me proposais d'aller visiter les archives du château de Waldstein, dont Casanova, en sa retraite, avait été bibliothécaire.

« Oh! fit le professeur de baroque, avec une vivacité qui me surprit, ce n'est pas du tout intéressant; il n'y a plus rien. Le château a été transformé, et il sert d'école maintenant. Ce sera perdre votre temps. »

Je ne sais pourquoi ce bibliothécaire balte parut soudain très animé à l'idée que je pouvais aller à Dux, et très persuasif pour me déconseiller ce voyage absolument sans intérêt. Il y avait beaucoup d'autres châteaux plus remarquables en Bohême, et du baroque le plus agréable à étudier pour un Français, certainement sensible aux grâces du style rococo.

« Ma foi, dis-je, vous avez peut-être raison, et je ne sais même pas si j'aurai le loisir de me rendre à Dux...

— Vous perdriez votre temps, cher monsieur, vous perdriez votre temps, je vous assure... »

Le libraire s'était mis à siffloter, en rangeant ses fiches. Je pris congé. Le Balte professeur de baroque me salua très profondément, sans me quitter du regard.

« Mes compliments pour votre chance, cher monsieur le professeur, me dit-il comme j'avais la main
sur la porte. *Ma fuite des Plombs* dans l'édition princeps! Ah! c'est une véritable trouvaille! Si seulement
j'étais arrivé avant vous!... »

Je ne sais si le libraire éternua ou se mit à rire, et
je m'en allai.

Je finissais de dîner, à mon hôtel, et j'étais plongé
dans *Ma fuite*, heureux et me félicitant de ce « cho-
pin »; le chasseur vint me prévenir qu'on me demandait. C'était le libraire. Il portait un paquet sous le
bras. Il avait retrouvé son air aimable. Il s'excusait
beaucoup de me déranger, mais il avait quelque chose
qui pouvait m'intéresser, fit-il, en ouvrant son paquet.
C'était les *Mémoires* de Casanova, en six volumes,
l'édition Rozez de 1860, en bon état. J'ai déjà l'édition
Garnier, et la dernière parue, celle de la Sirène, où il
y a d'excellentes notes. L'édition Rozez me manquait.
On la dit curieuse et présentant des variantes, cela
pourrait me servir, dans mes soirées de Marienbad,
en attendant d'aller à Dux — si décidément je vais à
Dux... Je me laissai tenter — ce libraire est très raisonnable. D'autant que dans l'exemplaire que je feuille-
tais, on avait encarté une suite d'illustrations assez
libres, non signées, mais finement gravées, et d'une
invention plaisante.

« Vous êtes bien aimable de vous être dérangé,

dis-je au libraire, en le payant. Mais pourquoi ne m'avez-vous pas montré ces volumes quand j'étais chez vous, tout à l'heure?

— Je n'ai pas voulu vous les montrer devant ce monsieur qui était dans la boutique.

— Pourquoi cela? »

Le libraire fit un mouvement de la tête, qui marquait sa décision.

« C'est un Allemand. Je le connais. Il vient m'ennuyer tous les jours avec Casanova et le baroque. Je ne veux rien lui vendre. Je suis Tchèque et je n'aime pas les Allemands. »

V

ZUM BALZENDEN AUERHAHN

Il n'y a rien à voir à Marienbad, excepté la maison où Goethe a vécu et aimé Ulrique, et l'établissement de bains, qui présente une robinetterie très perfectionnée. Le directeur m'en a fait faire la visite, je suis devenu très savant sur les propriétés de ses eaux. Il ne m'a pas épargné une chambre, une piscine, une cabine, y compris, montrée en rougissant, celle où l'on traite les épuisés. — « Merci, dis-je sans penser à mal, je reviendrai une autre fois. » L'honnête directeur m'a regardé, interloqué, ne sachant trop s'il fallait rire de cette plaisanterie bien française. Puis il a porté la main devant sa bouche, il a pris son temps, et il a ri, tout de même, à gros bouillon, avec beaucoup de politesse et de décence.

Je ne suis pas resté à Marienbad, et bien m'en a pris, car sur le conseil du Diplomate, moins inutile

qu'on ne pourrait croire, je suis venu m'installer dans
la forêt, à une douzaine de kilomètres de là, dans un
endroit délicieux. C'est au milieu des pins et des bouleaux, au cœur d'une clairière très Tourguéniev,
près d'un étang, un petit château 1860, en bois dé-
coupé, avec un grand toit pour les neiges et une
double ceinture de balcons à jour où sèchent des
peaux de renards et de fouines, entouré d'immenses
écuries, de granges pleines de foin odorant. Autrefois
rendez-vous de chasse d'un seigneur voisin, ce castel
est aujourd'hui converti en auberge, dont l'enseigne
peinte sur son support de fer forgé montre un coq de
bruyère aux ailes étendues, et ces mots en lettres
gothiques : *Zum balzenden Auerhahn. — Auerhahn,*
c'est le coq de bruyère, qui, me dit-on, abonde en
ces forêts. Cependant, *balzenden* m'intrigue. L'hôte-
lier m'explique la chose : c'est le cri du coq de bruyère
dans la saison de ses amours. J'habite donc *l'auberge
du coq de bruyère coqueriquant.* Je m'y trouve le
mieux du monde, dans le parfum des foins et des bois,
du bûcher et de la terre végétale, savoureux en ces
jours d'automne. La cuisine est délicieuse, prodigue
en cèpes, en truites, en jeune oie rôtie; la pâtisserie,
excellente; la cave, soignée. Au surplus, il n'y a personne — à la peu gênante exception d'un couple de
passage, çà et là, car cet endroit mal accessible est
fort discret. Et il faut y être venu, comme moi, par
hasard, pour s'aviser de la commodité qu'il peut four-

nir aux amateurs de solitude sentimentale, comme il
appert de cet engageant avis, écrit en allemand sur
la façade : « *Ici l'on mange et boit bien en tout temps.*
Vous, messieurs, qui êtes « balzend », venez tous ici.
Le coq de bruyère chante à trois heures. » — Ce serait
aussi un endroit rêvé pour y venir écrire un roman,
ou même ne rien faire du tout que se promener,
oublier le monde et jouir du calme des bois. C'est bien
ce que je fais, pour ma part, étonné d'un si doux
loisir; n'étant d'ailleurs aucunement sans compagnie,
car j'ai apporté dans mon bagage les *Mémoires* de
Casanova achetés l'autre jour à Prague. Et il n'est pas
plus divertissante société que celle de cet infatigable
bavard, qu'on peut si bien faire taire quand il ennuie :
il n'y a qu'à fermer le livre.

Je dois dire que Casanova ne m'ennuie pas du tout,
et qu'il m'occupe au contraire beaucoup en ce moment. Cet intrigant continue toujours d'intriguer, en
sa diversité prodigieuse. L'intérêt se déplace tout le
temps avec lui. Tantôt c'est l'amoureux qui vous
amuse, tantôt c'est le siècle alentour, dont il fut le
témoin vivant, et qu'il nous a peint avec un don de
restituer la vie inégalable. Je sais bien qu'il paraît
parfois — même assez souvent — incroyable et que ce
tombeur de cœurs à toutes mains doit se vanter,
dans le récit de ses bonnes fortunes. En vérité, ces
aventures, ces succès, ces prouesses galantes, leur
nombre, leur fréquence et leur répétition surtout, ont

de quoi éveiller un peu le scepticisme : chez les
femmes, en particulier, que ce Casanova ennuie, et
qui aux passages scabreux, hochent la tête en souriant, incrédules, d'un air entendu. Car le sieur de
Casanova ne parle que de ce qu'elles savent bien,
mais dont elles ne conviennent pas volontiers, quitte
cependant à nier que l'on obtienne auprès des dames
des résultats aussi stupéfiants par leur soudaineté,
qu'on puisse procurer du premier coup tant de plaisir
à des novices, et atteindre facilement avec elles un
chiffre aussi élevé de performances; ou alors, ce serait
à voir. — Je crains pourtant que les lectrices de Casanova ne soient pas toujours de bons juges, et qu'il
n'entre dans leur partialité habituelle contre lui une
prévention un peu suspecte. Celles qui pourraient sincèrement dire le vrai ne l'ont jamais lu jusqu'au bout :
son livre les dégoûte, il est trop physique. Et celles
qui le lisent sans déplaisir, en savent parfois trop
elles-mêmes, au point de convenir malaisément du
bien fondé de ces jactances masculines : sachant assez
d'expérience, pour leur part, que le plaisir peut être
feint; et d'autre part qu'il y a quelquefois des défail-
lances chez les Hercules. — Au reste, les femmes ont
généralement horreur des hommes à femmes, et s'il
leur arrive de leur céder à l'occasion, c'est toujours
pour des raisons personnelles et particulières. Je veux
dire qu'il y en a beaucoup que Giacomo Casanova
aurait séduites, si elles s'étaient trouvées en sa pré-

sence, qui se récrient d'indignation devant l'étalage
de ses succès en face des autres, de tant d'autres. Mais
Casanova est-il un type si exceptionnel, après tout?
Il n'y a pas si longtemps que Guy de Maupassant
étonnait ses contemporains par des prouesses du même
ordre. Et Gabriele d'Annunzio, au cours de sa vie
amoureuse, n'a pas moins plu par sa faconde italienne
et par des moyens identiques que le Vénitien, en
sa disponibilité perpétuelle. Disons donc que Casanova était un mâle bien doué, et croyons-le, dans le
récit de ses succès auprès du sexe. Croyons-le, car il
ne s'est jamais fait scrupule d'avouer ses insuccès
mêmes, et de retentissants fiascos, comme celui qui
l'obliga de mettre les pouces devant la forte Char-
pillon, sans parler d'autres mésaventures, aussi peu
flatteuses, par lui reconnues et déplorées.

« Une honnête femme, dit quelque part Anatole
France, est une femme qui ne fait pas de mensonges
inutiles. » Casanova était assez honnête femme sur
ce point. Il ne mentait que contraint et forcé. Je vais
plus loin; je crois sa sincérité absolue. Seulement,
il y a des cas où il est obligé de présenter la vérité
d'une manière un peu personnelle, s'il y a des apparences à sauver, et si les apparences sont contre lui.
Voici un fait à considérer, des plus remarquables.
Dans toutes les circonstances de sa vie où les érudits
qui se sont mêlés de le lire ont essayé de recouper ses
aventures, de contrôler ses affirmations, de repérer

les gens qu'il nomme, d'étudier les affaires où il rapporte avoir pris part, et Dieu sait si dans toutes les parties de l'Europe où le chevalier de Seingalt a voyagé il a suscité la curiosité des spécialistes — à Venise, à Rome, à Paris, à Londres, à Prague, à Constantinople, en Russie — eh bien, tous, Gugitz ou Rava, Samaran, Marr, Uzanne, Vèze et beaucoup d'autres se trouvent à peu près d'accord, pièces d'archives en main, entre deux pages des *Mémoires*, pour reconnaître que l'aventurier s'est réellement trouvé où il a dit, à la date qu'il dit, avec les personnes qu'il nomme. Il est exact que le cardinal de Bernis l'a chargé d'une mission secrète à Londres, — il est prouvé que l'inquisition de Venise a utilisé ses talents, — il est vrai qu'il a visité Voltaire et Rousseau, et Catherine de Russie. Il est vrai qu'il a pu entendre Franklin annoncer à d'Alembert l'avenir de la navigation aérienne, au cours d'une séance à l'Académie des Sciences, dont on a le procès-verbal, où figurent ceux qu'il a dits. Il est vrai que dans son séjour à Corfou, il a pu voir les personnages qu'il désigne, et qui y étaient... Oui, Casanova est allé réellement aux endroits où il se montre, il a fait les choses qu'il relate. Mais voilà : il ne dit pas toujours en quelle qualité il a fait ces choses, ni comment il y est allé. Il ne dit pas, par exemple, qu'il était espion de police à la solde du cardinal-ambassadeur, ou simple délateur à Venise. Je tiens du regretté Aldo Rava lui-

même, pour qui les archives d'Italie n'avaient pas
gardé de secret, que dans son aventure de Corfou,
Casanova a réellement pu voir, en effet, les officiers
qu'il prétend y avoir rencontrés et que les rôles conservés de leurs régiments situent très exactement, à cette
date, dans cette garnison. Toutefois il n'était pas lui-
même à Corfou, comme il l'écrit, sous la tunique du
soldat. Il n'y était peut-être que sous la défroque
du bagnard. C'est moins reluisant, mais le fait est là :
il y était. Casanova ne fait pas de mensonges inutiles;
seulement, il ne dit pas tout. Ce qu'il dit peut donc
se croire d'une manière légèrement approximative, et
se prendre avec une suffisante vraisemblance. Il
suffit de lui laisser, çà et là, un peu de marge. — Cela
dit pour justifier l'immense intérêt des *Mémoires* et
leur très acceptable vérité.

Cette marge est celle de l'Aventure même. Elle fait
regretter un temps qui n'est plus, où la fantaisie avait
sa place. Et voilà la raison profonde de la dilection
des casanovistes pour le prodigieux chenapan. Songez
donc! Le gaillard est beau, spirituel, chevaleresque
à sa façon; il a du bagou, il sait beaucoup de choses,
il a de l'entregent et il est aimable. Il triche au jeu?
C'était chose courante en son temps. Il n'est pas d'une
probité scrupuleuse, ni d'une pureté morale accom-
plie? C'est lui qui rosse le commissaire, et qui se
moque des benêts; et cela toujours a beaucoup plu.
Il ne respecte ni fille ni mère, ni nièce, ni nonne, ni

suivante? Mais toutes lui cèdent, ravies, et il fait
comprendre don Juan. — Par l'astuce, il est Arlequin;
il est Karageuz quant au reste, avec son grand nez
prometteur. — Au demeurant le meilleur fils du
monde, et toujours capable de se tirer d'affaire avec
un bon mot. Si le guet le serre de près, si le dupé lui
aboie aux basques, il s'esbigne, et quitte pour un
autre le théâtre de ses exploits. S'il est brûlé dans une
ville, il en sort, et la plus petite distance l'assure de
l'impunité. L'épée en verrouil, un bel habit neuf, la
bourse pleine, l'œil amusé, le sourire ouvert, il arrive
avec sa faconde sur une scène neuve, pour de nouvelles aventures, une comédie inédite. — L'aventure
veut des inconnus. Ce temps-là permettait à qui le
voulait, à qui en avait besoin, de le rester. Merveilles
de l'incognito! De nos jours, objet d'un mandat d'arrêt international, signalé par le télégraphe, le sieur
Casanova, dit de Seingalt, se ferait pincer à l'arrêt
du train, dans la première gare, par deux citoyens
moustachus, déguisés en simples bourgeois, qui lui
passeraient les menottes. La sécurité publique y a
gagné — et c'est tant pis pour l'aventure. Il ne res-
terait à notre homme, pour vivre, que la politique ou
la banque, et pour couverture, l'honorable rideau d'un
conseil d'administration bien choisi. Mais il serait
moins amusant. Et cela n'a jamais fourni matière pittoresque à *Mémoires*. Au lieu qu'autrefois...

Autrefois, je dînerais seul au *Balzenden Auerhahn*,

je m'y ennuierais. Il se ferait un bruit de carrosse dans
la cour, on entendrait des grelots tinter, des chevaux
s'ébrouant, un empressement de valets accourus avec
des lanternes. Les chambrières s'agiteraient dans les
corridors, le patron lèverait les bras sur le seuil. Enve-
loppé dans sa houppelande, le tricorne de biais,
M. le Chevalier de Casanova descendrait à fracas de
son coche ou de sa dormante, ameuterait les gens
d'une voix péremptoire et joviale. Il emplirait soudain
de sa haute stature la porte ouverte à deux battants,
demanderait un en-cas, une bouteille, la meilleure
chambre. Car il aurait faim et serait recru de fatigue,
après toute une journée de cahots sur les mauvaises
routes de Saxe ou de Bohême. Aussitôt la table serait
mise. L'âtre assoupi flamboierait de nouvelles bûches.
M. de Casanova m'aviserait, seul à m'ennuyer dans
mon coin. Il m'offrirait sa compagnie, me dirait son
nom, ou celui d'un autre. La servante serait égayée.
La présence inattendue du voyageur ferait immédia-
tement sortir de quelque comble deux jolies filles
imprévues qui viendraient souper avec nous. M. de
Casanova nous conterait ses aventures, je lui dirais
mon rêve de Jeannette; il me jurerait une amitié éternelle, et il me ramènerait Jeannette dans les deux
jours, non sans peut-être l'avoir essayée...

Ce *Balzenden* manque de distractions, à moins qu'on
ne les y apporte, et je n'ai apporté que la *Fuite des
Plombs* et les *Mémoires*. C'est beaucoup pour la rêve-

rie sur autrui. Mais les imaginations sur soi? — Si
je suis ravi quand je suis seul, au bout de peu de
temps je m'aperçois que je n'aime pas du tout la solitude. Tâchons donc de la remplir un peu.

J'ai relu l'*Histoire de ma fuite* dans l'édition originale, et la circonstance de cette évasion si lestement
contée est en soi des plus amusantes. Cela se lit comme
du Simenon. Cette édition rarissime pose d'ailleurs
un curieux problème. Il faut entrer dans le détail.
L'*Histoire de ma fuite* est un chapitre de la vie du
célèbre aventurier, qui figure aussi, naturellement, à
sa date, mais remaniée, dans le tome III des *Mémoires*.
Casanova a publié, en 1788, l'*Histoire de ma fuite;* il
en a surveillé, à Prague, l'édition, et le petit volume
s'est arraché. Mais il n'a pas eu le temps d'imprimer
lui-même ses *Mémoires,* en sorte que si l'on confronte
les *Mémoires* et l'*Histoire,* on s'aperçoit qu'ils ne sont
pas de la même encre. Cela tient à ce fait que l'*Histoire de ma fuite* est du Casanova authentique, et les
Mémoires, du Casanova tripatouillé. Dans la *Fuite,*
c'est lui que j'entends, sa voix même, sa respiration;
avec son amusant français parlé de 1760, ses italianismes, son accent, ses tours, sa verbosité, sa diction, sa
présence verbale. Lisez à haute voix, avec le zézaie-
ment vénitien, quatre lignes de l'*Histoire de ma fuite*
dans l'édition originale : vous croirez avoir Casanova
dans la chambre. Expérience impossible à réussir avec
les *Mémoires.* Entendez-moi bien : les *Mémoires* de

Casanova sont bien de lui, écrit de sa main, dans le même parler habituel à notre homme. Cependant, que vous les lisiez dans l'édition originale française publiée par Laforgue en 1826, dans l'édition (subreptice) Tournachon-Molin dite de 1825, dans l'édition Rozez de 1860 — ou dans celle de Garnier, qui reproduit Laforgue, dans celle de la Sirène, qui relève les variantes des éditions précédentes : vous n'avez qu'un arrangement, ce n'est pas Casanova que vous lisez, c'est un Casanova transcrit, corrigé, élagué, réécrit, châtié et rendu décent par un autre. Voilà cent ans que l'imposture a commencé, et que nous lisons un ersatz, un « à la manière de... » prodigieux. — Le vrai Casanova est ailleurs.

La preuve de ce que j'avance? Elle est très simple. Suivez-moi, En 1783, s'étant brouillé avec les inquisiteurs de Venise, Casanova a repris la route. Il vient à Paris, ne s'y retrouve plus; passe à Vienne, en quête d'un gîte ou d'un emploi. Il a cinquante ans, et du plomb dans l'aile; ni si ingambe ni si désinvolte qu'autrefois, l'âge l'a rendu un peu grognon, un peu prédicant et farci d'idéologies. Il rencontre le comte de Waldstein, descendant du grand Wallenstein, jeune fou qu'amuse la faconde du vieux fou. Waldstein le recueille et lui offre les fonctions de bibliothécaire en son fastueux château de Dux. Casanova s'installe à Dux. Tout va bien quand le comte est là. Soupers, parties fines, belles dames, joyeux compagnons. Mais

Waldstein s'absente souvent — et Casanova reste seul
dans sa bibliothèque peu fournie, en proie aux « barbares de Dux », le cocher, la lingère, le concierge,
l'intendant, qui lui font une vie impossible. En face
de cette canaille insolente, il ne décolère pas; et s'il
décolère, il s'ennuie. Donc, pour se désennuyer, il
écrit. Le remède est dans l'écritoire. Il écrit des choses
illisibles, aux titres baroques : l'*Icosaméron*, des *Confu-
tations*, des *Lucubrations*. Puis il écrit un fragment
de ses aventures, cette *Fuite des Plombs*, cent fois
racontée, qui l'amuse, et qui l'incite à entreprendre
ses *Mémoires*. L'*Histoire de ma vie*, dira le titre de son
manuscrit, *jusqu'à l'année* 1797. — Notez bien 1797.
En 1792, nous savons cela par ses lettres, Casanova
a rédigé *douze* volumes de sa Vie, qui le mènent à
l'année 1774. — Or, en 1797, une jeune Viennoise
— sa dernière amie — Cécile de Roggendorf, dont il
a connu le père autrefois, lui écrit : « Et vos Mémoires
en *quinze* volumes? » En 1797, une suprême confi-
dente de Casanova nous apprend donc qu'il y a trois
volumes de plus qu'en 1792; et ces trois volumes
doivent mener les *Mémoires* jusqu'aux dernières
années du Chevalier. Il meurt en 1798; on l'enterre
à Dux. — L'oubli se fait, le manuscrit commence à
jaunir sous la poussière. Et vingt années passent. —
Entre-temps, un neveu de l'aventurier vend le manuscrit des *Mémoires* à un éditeur allemand, le libraire
Brockhaus, de Leipzig. Ce Brockaus lit le manuscrit,

le trouve amusant mais impubliable tel qu'il est :
indécent, et du style le plus incorrect. Il décide de le
faire traduire en allemand. Un sieur von Schutz se
charge du travail. Et la première édition des *Mémoires*
de Casanova, *Aus den Memoiren*, paraît en 1822, à
Leipzig, chez Brockhaus. C'est une traduction allemande.

Aussitôt alléché par le profitable scandale d'un si
audacieux récit, un libraire parisien, Tournachon-
Molin, publie à Paris la retraduction en français de
la traduction allemande. Brockhaus, indigné de la
concurrence, prend le parti de faire paraître, en français, le manuscrit original des *Mémoires* dont il est
seul propriétaire. Et pour parer à l'objection qui subsiste, sur l'incorrection et la crudité de son texte, il
confie les poudreux papiers à un professeur français
qui habite Dresde, appelé Laforgue, à charge pour lui
d'établir un texte français convenable au double égard
de la syntaxe et des convenances. L'édition Laforgue,
des *Mémoires*, première française, d'après le manuscrit
original, commence à paraître en 1826 — et finit
en 1838, sur un douzième tome qui arrête à l'année 1774 les aventures du héros. C'est cet arrangement
de Laforgue que la plupart des lecteurs de Casanova
lisent depuis cent ans, en croyant avoir sous les yeux
l'authentique confession du Vénitien. C'est Casanova
arrangé.

Or, il y a l'édition Rozez, de 1860, qui est curieuse,

je l'ai dit. Elle reproduit, avec des variantes, l'édition Laforgue. Elle y introduit des fragments négligés par Laforgue, qui figurent dans la traduction allemande de von Schutz. Elle donne, en outre, çà et là, des fragments qui ne figurent ni dans la tradition von Schutz, ni dans l'arrangement Laforgue. — Le premier détective de roman policier venu ou le plus naïf débutant en critique de textes vous dira qu'il faut donc que l'édition Rozez ait été établie, indépendamment de Laforgue et de Schutz, sur le manuscrit, où Rozez et ses collaborateurs, Paulin Paris et Busoni, auront trouvé fragments et passages inédits. Le libraire Brockhaus aurait donc communiqué à Rozez le précieux manuscrit autographe des *Mémoires* de Casanova?

Brockhaus n'a rien communiqué du tout. Il s'est refusé à montrer son manuscrit. Excepté Laforgue et von Schutz, il y a plus de cent ans, personne ne l'a vu. Tous les spécialistes de Casanova ont sollicité la permission d'examiner ce mystérieux original : Uzanne après Paulin Paris et Busoni, Gugitz, Henri de Régnier, Remy de Gourmont, Guède, Vèze, Fernand Fleuret; et beaucoup d'autres. Aucun n'a obtenu l'autorisation. — Pourquoi? demandera le naïf débutant en matière de critique de textes, ou le premier détective de roman policier venu. La maison Brockhaus, de Leipzig, a d'abord fait savoir qu'elle se réservait le soin de publier elle-même une édition critique, historique, monumentale et définitive des *Mé-*

moires de Casanova. On l'attend depuis quarante
ans. Je crois qu'on l'attendra longtemps encore. Pourquoi? L'idée généralement admise est que le grand
éditeur allemand ne s'est jamais beaucoup soucié
d'imprimer et de faire paraître sous sa firme, puri-
taine, officielle et grave, un ouvrage aussi scandaleux.

Il y a peut-être une autre hypothèse, qui me vient
à l'esprit, ce jourd'hui 9 octobre 1937, à l'auberge
du *Balzenden Auerhahn,* où je n'ai rien d'autre à
faire, et où la lecture du Casanova de Rozez me remet
en mémoire diverses conjectures sur cet irritant problème d'histoire littéraire. — Si le manuscrit des *Mémoires* de Casanova n'existait pas? — Ou plutôt, s'il
n'existait plus? — Si le pudique M. Brockhaus l'avait,
avec décence, anéanti? — S'il l'avait vendu? — S'il lui
avait été dérobé? — S'il ne voulait convenir d'aucun
de ces cas, crainte de se faire honnir jusqu'à la consom-
mation des siècles, par tous les casanovistes présents
et futurs des deux mondes? — Ou encore : s'il y avait
eu plusieurs manuscrits originaux et autographes des
Mémoires? Un brouillon original, par exemple, qu'aurait suivi une mise au net? — Nous savons, en effet,
que Casanova, grand écrivassier, a recopié son manuscrit, a fait circuler cette copie, quand il cherchait un
éditeur qui l'eût imprimé. — Si Brockhaus ne s'était
rendu acquéreur et n'était resté possesseur que de
cette mise au net, et, connaissant l'existence d'un
manuscrit plus complet et plus intéressant que le

sien (le brouillon, par exemple), ne se refusait à communiquer sa *copie* que pour ne pas infirmer la valeur
marchande de son manuscrit, qu'il conserve avec tant
de mystère dans le recoin le plus secret de sa librairie?

Cette hypothèse de l'existence d'un second manuscrit de Casanova, d'un Ur-Casanova, comme dirait un
philologue, est excitante à l'imagination.

Elle est parfaitement admissible. D'autres que moi
l'ont peut-être déjà formulée. Elle semble en outre
prouvée par quelques menus faits accessoires qu'il
est impossible d'écarter.

Il y a l'édition Rozez, différente des éditions Schutz
et Laforgue, et dont nul n'est encore parvenu à expliquer les différences; mais elles s'expliquent si Rozez,
environ 1860, a eu sous les yeux un manuscrit *qui
n'était pas celui de Brockhaus.* — Il y a les papiers
des archives du château de Dux. Ces archives sont
considérables. Des papiers de Casanova qui y sont
conservés, le savant bibliothécaire actuel, M. Bernhard
Marr, a dressé minutieusement l'inventaire. Il com-
porte six mille et quelques fiches. Malheureusement
ce second manuscrit des *Mémoires* n'y figure pas. Ni
dans les fiches, ni dans les archives. — A moins que...
mais non, pas encore! — Aux archives de Dux, on a
retrouvé pourtant quelque chose d'assez intéressant :
le brouillon de deux chapitres autographes, demeurés
longtemps inédits, des *Mémoires* de Casanova. Ces
deux chapitres ne figurent pas dans la traduction alle-

mande de von Schutz, ni dans l'arrangement de Laforgue; ni dans l'édition de Rozez. — Le fait qu'ils
ne figurent pas dans l'édition Rozez, établie sur un
manuscrit qui n'est pas celui de Brockhaus — permettrait même de supposer qu'il a existé un troisième
manuscrit, dont les deux chapitres en question retrouvés, provisoirement, subsisteraient seuls. — L'importance de ces deux chapitres est considérable. Ils
ont été publiés en 1935, et se trouvent, insérés à leur
place logique et chronologique, au XII⁰ tome de l'édition de la Sirène, procurée avec tant de soin par
M. Raoul Vèze. Echappés aux arrangements de Laforgue, ils représentent quelque chose d'exceptionnel :
du Casanova authentique, non revu, son style, ses
bizarreries de syntaxe, ses italianismes; la diction
enfin, spontanée, vivante, la voix même, l'accent, les
tics, l'allure verbale éloquente, phraseuse, chaleureuse,
de l'aventurier. Le ton même de *Ma fuite des Plombs*,
imprimée, publiée par lui. — Vous avez donc là, dans
cette dernière édition des *Mémoires*, un passage qui
est du vrai Casanova, qui infirme le reste arrangé.

Ces deux chapitres, où le Vénitien rapporte ses
aventures de Frascati en 1771, fournissent ainsi la
preuve matérielle indiscutable qu'il y a eu à l'origine
deux ou peut-être trois manuscrits autographes des
Mémoires. — Si c'est seulement, comme tout le donne
à penser, la mise au net que Brockhaus a, ou a eue,
en sa possession — le brouillon dont les deux cha-

pitres ont fait partie n'est pas à Leipzig. — Il n'est
pas à Dux. — Où est-il?

Il serait amusant de le retrouver. Pour lui-même,
d'abord. Et puis, ce brouillon doit être plus complet
que la mise au net arrêtée à l'année 1774. — Casanova est mort en 1798. C'est vingt-quatre ans de sa
vie que ses *Mémoires,* tels que nous les avons —
arrangés par Laforgue, complétés par Rozez — passent
sous silence. — Il est très certain que le vieux bibliothécaire du comte de Waldstein, au château de Dux,
lucide et remémorant jusqu'au bout, est mort la
plume à la main — et qu'en ses six dernières années
(de 1792 où il a fini son douzième livre, à 1798 où
il cesse d'écrire et de vivre) il a pu, il a dû, il n'a pas
pu faire autre chose que tracer le tableau des années
postérieures à 1774. — Ne pas oublier le renseignement fourni par la lettre de Cécile de Roggendorf
où, à la date de 1797, elle parle de *quinze* volumes des
Mémoires, qui n'étaient que douze en 1792. — Ces
trois volumes terminaux n'ont pas été recopiés dans
la mise au net de Brockhaus. Mais ils étaient dans le
brouillon. C'est le brouillon qui formait quinze
volumes en 1797. — C'est ce brouillon qu'il faudrait
retrouver.

Voilà comme je raisonnais dans ma solitude du
Balzenden Auerhahn. Il serait beau de mettre la main
sur cet extraordinaire document. Est-ce impossible?
La chose est à voir, en tout cas. — Pour commencer,

quoi qu'ait pu dire, pour m'en dissuader, le Balte à
lunettes de cette librairie pragoise, à qui j'ai soufflé
la rarissime originale de *Ma fuite des Plombs*, l'important est d'aller à Dux. Ce n'est pas loin de Marienbad.
— Je verrai toujours le château.

Ces journées d'automne sont douces, dans ces bois.
Je déjeunais dans le jardin de mon auberge. Il y avait
quelques couples attablés, sans grande attention l'un
pour l'autre — et je ne faisais pas moi-même beaucoup attention à l'un d'eux, venu, tandis que j'avais
le nez plongé dans *Ma fuite*, s'installer à la troisième
table devant moi. Mais, levant les yeux de mon bouquin, je fus tout de même bien forcé de m'apercevoir
que l'attitude de ce couple était singulière. —
L'homme, que je voyais de profil, était jeune, bien
vêtu, de beau visage, avec un grand front. Il se ba-
lançait sur sa chaise, et regardait le ciel dans une sorte
de contemplation béate. Je ne voyais la femme que
de dos. Elle était à demi couchée sur la table, le
visage enfoui dans ses bras croisés. Un léger mouvement convulsif lui faisait remuer les épaules. Je
crus d'abord qu'elle avait une crise de fou rire. Mais
elle se redressa soudain, immobilisée au dossier de sa
chaise. Je la vis tirer un mouchoir, et se tamponner
le visage : elle pleurait. — Elle pleurait et son compagnon semblait insensible à ses larmes, perdu qu'il était
dans ses songes. — Cela devenait intéressant. — La

femme avait une tournure élégante. Quand elle eut
fini de pleurer, elle étendit la main vers celle du jeune
homme, la prit, et, penchée sur la table, se mit à lui
parler en le regardant, à voix basse, et sans doute
pressante. Car l'homme au beau front parut descendre
de ses hautaines rêveries, il la dévisagea avec douceur, lui sourit. Elle, alors, secoua la tête, consolée.

Le serveur vint. Il y eut une lente et attentive
consultation de la carte, l'homme et la femme rap-
prochés dans une commune gourmandise. — J'aurais
bien voulu voir le visage de cette créature que ses
mouvements laissaient deviner mobile, passionnée. —
La truite au bleu qu'on m'apporta, saisie et révulsée
sur sa brochette, fit diversion : je m'abandonnai au
plaisir du gastronome solitaire. Le vin de Moselle était
bon.

Quand je levai la tête, le petit ménage était toujours là, mais il avait changé d'attitude. Ayant
repoussé son assiette, son verre, devant lui, l'homme
écrivait. — Il écrivait, à demi enfoncé dans sa chaise,
d'un peu loin; rêvait, regardait le ciel par instants,
ou le frisselis charmant des bouleaux, sans un regard
pour la femme au visage posé sur ses mains, avant-
bras en V sur la table — qui suivait passionnément
ces écritures. Il revenait à son papier, écrivait un mot
— rêvait encore — ou raturait. Il avait l'air d'un
homme qui écrit des vers. Et ce devaient être des vers,
en effet, car, ayant ramassé ses feuillets, posé son

crayon, il fit pivoter sa chaise sur un pied, se rappro-
chant de sa compagne, et il commença de lire ce qu'il
avait écrit, scandant de la main ses paroles, et sans
que je les perçusse toutefois, j'entendais une sorte de
ronronnement, de débit scandé, qui ne pouvait être
que des vers, lus par l'auteur avec cette voix égale
et sourde des poètes, qui sans donner la moindre
importance à leur texte, ne s'attachent qu'à en bien
souligner l'essentiel, qui est le rythme, la cadence. —
La femme l'écoutait, appuyée sur l'épaule du lecteur.
Quand il eut fini, elle s'exclama, ôtant son bras du col
de son amant, et avec une vivacité charmante, se
penchant, elle baisa la main qui venait d'écrire sans
doute de si belles choses. — Le poète avait l'air
content. Il souriait, il paraissait tendre et comme déli-
vré après un combat. — Voilà de ces choses qu'on voit
quelquefois en voyage. Ces menus drames côtoyés, que
le hasard laisse entrevoir, un instant, dans la vie d'autrui. — Cela intrigue, naturellement. — J'aurais bien
voulu dévisager cette personne. Elle devait être belle,
vive, émouvante. Elle était joliment vêtue.

La vue du bonheur étranger ne fait jamais beaucoup de plaisir au solitaire. Pourquoi me suis-je mis à
penser à Jeannette encore? J'achevai de boire mon
café dans une disposition qui frisait la mélancolie.
Le couple s'était levé, s'éloignait, avec son mystère.
— Tant pis! me dis-je. Et je regrettais de n'avoir pu
contempler la face de cette amoureuse. Je me levai

alors à mon tour, et je me disposais à rentrer à l'auberge, préparer mon départ — car décidément je vais à Dux — quand une automobile somptueuse, débouchant du garage, fit un virage autoritaire devant moi — et je vis, à mon étonnement, la belle déjeuneuse de tout à l'heure, avec son poète au volant. Je la vis de face, ainsi que je l'avais souhaité, en pleine lumière, dans une lumière un peu dure, à cause du ciel blanc : elle était belle, mais elle ne paraissait plus très jeune. Et je faillis pousser un cri, au mouvement de surprise qu'elle fit en m'apercevant, comme quelqu'un qu'on croit reconnaître. — Où donc avais-je moi-même vu cette tournure, avais-je entrevu ce visage? — Il n'y avait pas à s'y tromper : c'était la voyageuse aux dix-huit mallettes, au beau jeune homme blond de la gare de l'Est, qui était descendue à Nuremberg, dans les bras d'un beau jeune homme brun; c'était la dame au crayon de Saint-Jacques. — La voiture avait déjà disparu. — J'essayai de savoir de l'aubergiste s'il connaissait cette personne. Je ne pus rien obtenir de lui. C'était la première fois, me disait-il, que ce monsieur et cette dame venaient déjeuner au *Balzenden*.

VI

DUX

Si je n'avais pas eu le plus déraisonnable des désirs en tête, si j'y étais venu seulement en promeneur désintéressé, j'aurais passé à Dux un très charmant après-midi. J'avais longé, de Jachymov à Dux, la fine chaîne dentelée des Monts métalliques, qui sépare la Bohême de la Saxe, et par-delà les crêtes qui déterminent la frontière entre les deux pays, rêvé à ces mystérieuses contrées de la dangereuse Allemagne, impatiente au fond de ses horizons bleus. Je m'étais abandonné à l'amusement négatif de mettre sur les paysages ces noms de lieux dont on ne connaît que les syllabes et parfois une vague précision historique : Jachymov, où gît le pechblende qui donne le radium; Tœplitz, où il y a des eaux, que le prince de Ligne allait prendre; Troppau, où se tint le congrès de 1820... Il y a pourtant des êtres qui vivent, comme ailleurs dans

le vaste monde, en ces lieux dont on ne sait rien, si
ce n'est, en passant, cette odeur qui monte du sol, de
ces champs de lignite à fleur de terre, d'où s'élèvent
aussi des fumées, — si ce n'est une jolie troupe de
jeunes filles à cheveux blonds, en tablier noir sur la
gaie jupe de couleur et qui font bonjour de la main
aux barrières des passages à niveau... Mais ce n'est
pas cela que je cherchais, — et ce que je cherchais,
comme toujours, je ne l'ai d'ailleurs pas trouvé. Tout
de même, cette journée de Dux a été charmante, sur
les pas de Casanova. J'y ai vu au moins le château
où ce diable se fit ermite, et je me suis promené dans
un beau jardin. C'est toujours cela. — De quoi faire,
pour plus tard, un gentil souvenir d'heures oisives,
dans l'odeur des bois et de l'eau, un beau jour d'automne, loin, bien loin, dans un autre temps.

Je suis fâché de contredire Casanova, vieux loup
à l'attache, et qui pouvait avoir à se plaindre de ce
séjour, pour lui assez désobligeant, après tant de
joyeuses années d'aventure, de vagabondage et de
liberté; mais de prime abord, ce château n'a rien de
mélancolique. De noble apparence et de bon style,
en renfoncement sur cette place de guingois, contigu
par une de ses ailes en équerre à l'église aux deux clochers rouges, il est badigeonné d'ocre jaune, à l'autrichienne, et ses centaines de fenêtres à croisillons
et à linteaux blancs s'ornent de hautes grilles de fer
noir. Après avoir franchi la cour robustement pavée,

close du côté de la place par un portique surmonté
de groupes noueux où figurent Mars et Vénus, et
Hercule assommant le lion ou terrassant l'hydre, on
accède au bâtiment principal par une ample porte
entre colonnes, couronnée d'un large balcon et flan-
quée de grosses lanternes de ferronnerie délicatement
ouvragée. Mais hélas! je n'eus pas à la faire tourner
sur ses gonds, car le casanoviste balte rencontré à
Prague l'autre jour n'a pas menti. Le château des
Waldstein, vidé de tous ses souvenirs, est fermé, et
ne présente plus rien de remarquable à l'intérieur,
dont les vastes salles sont présentement occupées par
une école de jeunes ménagères et les services admi-
nistratifs de la province. Je demandai si M. Bernhard
Marr était là. On me dit qu'il habite Prague, depuis
que les archives dont il était bibliothécaire ont démé-
nagé. — Et la bibliothèque? — Plus rien. L'héritier
des Waldstein a emporté papiers et livres — et sans
doute avec eux ce manuscrit des *Mémoires* qu'ingé-
nument je me faisais fort de venir découvrir à Dux,
oublié dans quelque resserre. — Il me faudra écrire
à M. Bernhard Marr, lui demander un rendez-vous;
obtenir peut-être par lui l'introduction nécessaire à
la visite des archives de Dux — qui ne sont plus à
Dux. — Voilà ce qu'on appelle faire buisson creux.
— Il ne me restait plus qu'à m'en remettre aux fan-
taisies de l'imagination et de la flânerie, autour du
château et dans les méandres du parc aux beaux

arbres, pour me donner l'illusion d'apercevoir en ce
décor la silhouette picaresque du Vénitien désaffecté
lui aussi, tel que je le vois, avec son grand nez et sa
houppelande, l'épaule remontée et le sarcasme autour
de sa bouche dégarnie, tout amer de sa décadence,
regrettant ses jeunes conquêtes et ses beaux jours
passés, pestant contre la valetaille du château enragée
à ses trousses, contre ce déplorable exil et les courants d'air qui devaient souffler de façon aigre sous
les portes et par les immenses couloirs de cette maison, difficile à chauffer dans les rudes hivers de
Bohême.

L'aîle du bâtiment où Giacomo classait les archives
du comte de Waldstein, son maître, et griffonnait en
son français alourdi d'italianismes les brouillons
infinis de ces scabreux *Mémoires*, communique directement avec l'église. Si bien que ce vieux débauché
pouvait accéder de plain-pied, par une galerie intérieure, à une tribune grillée comme une loge d'opéra
que l'on voit encore, au-dessus du chœur. J'y suis
monté. Je me suis assis sur la banquette où s'asseyait
le Chevalier. J'ai regardé à travers la vitre verdie,
demeurée certainement la même, que ses regards ont
traversée, quand il suivait de là les offices. Je me suis
fait montrer la fenêtre de la bibliothèque vide, d'où
levant le nez de son grimoire et de ses amoureuses
remembrances, l'ancien Chevalier de Seingalt pouvait
surveiller les mouvements de la cour d'entrée, et, à

l'occasion, reconnaître, avec une exclamation de joie, le carrosse du prince de Ligne arrivant à Dux pour rendre visite à son neveu Waldstein, après une cure aux eaux voisines et revigorantes de Tœplitz. Voilà, dans l'allée en fer à cheval, devant l'attique du château et sa porte ferronnière à double vantail, la petite caisse écarlate et galonnée d'or, à longs ressorts comme une sauterelle sur ses pattes, et ses roues ferrées et boueuses des mauvais chemins traversés. Le postillon s'enfonce dans ses lourdes bottes, et les gros poméraniens sont fumants, tandis que les coureurs vêtus de rose s'affairent aux bagages et au marchepied, et que le prince sort de sa boîte, leste, narquois et jovial, curieux de savoir où en est du récit de ses aventures ce Casanova auquel il a promis la gloire, qu'il a jadis rencontré à Vienne et placé depuis chez son neveu...

A présent, ces choses ne sont plus, et ce château désert est mort; et il n'y avait plus de mystérieusement vivant, autour de ma rêveuse promenade illustrée de ces images chimériques, qu'un vieux parc rempli de ses cris enfantins de jardin public, où jouaient, quand j'y suis passé, de petites filles en bas blancs et à tresses blondes, sans nul danger pour leur innocence, maintenant que le loup n'y est plus. Ce jardin a dû être beau, comme ceux qu'aimait le prince de Ligne : à mi-chemin de son retour à la nature, de grand air encore dans son abandon, sa rus-

ticité, égayé de vives rigoles et tout ruisselant d'eaux
sonores. Il y avait, devant la façade intérieure du
château, une large pelouse posée de travers, ni ronde,
ni ovale, dont l'herbe humide exhalait une odeur pre-
nante, dans ce jour d'automne bien fait pour aller
voir des choses qui finissent, et où je me promenais
par ces allées sablées de brique rose, au milieu de ces
jeunes vivantes et de ces ombres. Sans nul égard pour
la perspective, on a laissé croître à leur gré de fort
beaux chênes à l'entour de cette prairie folle, et à
considérer l'amplitude de leurs troncs et l'épaisseur
de leur feuillage, il y a tout à parier qu'ils ont pu
voir Casanova venir chercher un peu de fraîcheur à
leur pied. — Au-delà, s'étend une pièce d'eau, fleurie
d'abondants nénuphars, entre ses berges naturelles.
Les grenouilles y menaient grand tapage, auquel
répondaient les merles moqueurs sous les feuilles :
seul bruit qui déchirât l'air de ces lieux abandonnés,
avec des cris d'enfants dans le lointain. Puis un coucou
chanta, dans le bois profond. Je suivais une magni-
fique allée d'ormes ou de tilleuls, s'ouvrant sur un des
côtés du jardin, et qui formait une charmille dense,
déjà rousse, axée sur un vase minuscule à bout d'horizon. Oui, ce jardin provincial avait grand air, avec
cependant quelque chose d'inutile et de désaffecté,
depuis que ses derniers propriétaires l'ont quitté, au
puéril profit des demoiselles duxbourgeoises.

M'étant retourné, du bord de l'étang, le château

m'apparut entier, d'une dimension considérable, et
soudain morose quand même, malgré les vives teintes
d'or dont le couchant revêtait la plus haute partie
de sa façade et son toit de pourpre caillée, et le gra-
cieux encadrement de stuc qui s'arrondissait aux six
lucarnes entre colonnes du fronton. Les fenêtres
étaient fermées sous leurs grilles. Vides, les longues
terrasses rectilignes, aux balustres de pierre noircie.
Sans emploi, les escaliers fantasques aux révolutions
contrariées, où ne monte et d'où ne descend plus
personne... Mais au pied de la dernière rampe, sous
une loggia à coquille, un groupe, de loin décoratif,
m'a attiré : de près, hautement symbolique. On y voit
figurer, dans le style ampoulé de Bernin, un vieillard
chauve, nu, barbu et garni de puissantes ailes, qui
porte dans ses bras une belle personne, nue aussi,
toute en pleurs et qui se débat — tandis qu'un Amour
grassouillet, impuissant devant ce spectacle, se lamente
inutilement. Il y a cette légende, inscrite en français,
sur le socle : « *Le Temps enlève la Beauté.* » Est-ce
Casanova qui a suggéré au comte de Waldstein, son
maître, la commande ou l'acquisition de ce groupe
moral et philosophique, et rédigé ce calembour? L'al-
légorie convient à merveille en ce lieu, où l'ancien
aventurier a dû plus d'une fois venir la contempler
et se dire que c'était bien vrai, à voir ce que les
années avaient fait de ses amours, de sa jeunesse et de
sa force.

J'ai cherché, naturellement, la tombe du vieux fou, qui mourut à Dux. Elle est perdue. C'est tout juste si, à l'autre bout de la ville, on me montre, dédiée à Sainte-Barbara, une chapelle jésuite, autour de laquelle autrefois était disposé le cimetière. Casanova y fut enseveli, sans pompe et sans monument. Accrochée au mur extérieur de la chapelle, la plaque qui porte son nom, suivi de deux dates, entre une croix et deux branches de laurier croisées, n'est certainement pas de l'époque, mais elle fait tourner la tête aux passants. Même pour ceux qui n'ont pas ouvert les *Mémoires*, le bonhomme a laissé un nom dans le pays. — Où donc ai-je lu cette histoire, que par les nuits sans lune, les femmes attardées dans ce cimetière sentaient leurs jupes, au passage, accrochées par les grilles de fer d'une tombe à moitié perdue sous les herbes? Comme si à l'heure sinistre de l'orfraie et de l'engoulevent, une main décharnée mais toujours amoureuse, sortait de terre à leur approche, et cherchait à saisir encore les vivantes proies du désir!

J'étais entré dans un café pour me rafraîchir, et en attendant l'heure du train, je notais dans mon calepin mes impressions de la journée, quand un quidam que je n'avais pas entendu arriver, et qui était venu s'asseoir, sur la même banquette, à la plus proche table de la mienne, voyant que je portais machinalement les yeux de son côté, me salua, me fit un sourire très aimable, comme à une vieille connaissance, et, m'adressant aussitôt la parole, les deux mains écartées en signe d'évidence :

« Eh bien, monsieur le casanoviste, n'avais-je pas raison de vous déconseiller de venir à Dux? Je vous avais bien dit qu'il n'y avait rien d'intéressant. Je suis sûr que vous n'avez pas trouvé ce que vous cherchiez!

— Ma foi, répondis-je en reconnaissant le Balte de la librairie, qui m'avait paru si vexé, l'autre jour, de ce que j'eusse découvert, cinq minutes avant lui, la précieuse *Fuite des Plombs* — ma foi, je ne cherche rien du tout, et je suis tout de même très content d'avoir vu la maison du comte de Waldstein, même s'il n'y a plus rien dedans. Ces lieux parlent, et le pèlerinage est joli.

— Cela n'empêche, monsieur le casanoviste, reprit-il, qu'au lieu de visiter l'église, quoiqu'elle soit d'un très bon modèle de baroque rustique, et de faire le tour du château, et de vous promener dans le parc, et de porter vos dévotions à Sainte-Barbara, vous auriez été plus heureux de passer une petite heure, ou même deux, dans la bibliothèque, si les archives étaient toujours là. Malheureusement, elles n'y sont plus.

— Mais où sont-elles?

— Je vous serais fort obligé, cher monsieur, si vous pouviez me le dire? »

Il me considérait, l'œil plissé derrière ses lunettes, avec un petit air fin qui me donna tout de suite à penser que ce gros homme en savait certainement plus qu'il ne voulait en convenir. Et qu'il en savait certainement plus que moi, en sorte que je ne risquais rien à pousser la conversation. — Je fis apporter de la bière. L'homme se rapprocha, et s'étant levé, claquant les talons, il crut devoir se présenter :

« Doktor Rudo Swervagius, professeur d'art baroque et bibliothécaire à l'Université de Kaunas. »

Je lui dis mon nom, il m'interrompit, le connaissant déjà, et mes travaux, et le genre de mes occupations habituelles. Il savait aussi très exactement ce que j'avais fait, au cours de mon après-midi, en mes promenades duxbourgeoises. Je me sentis flatté de l'intéresser si vivement. Les présentations étant donc faites, nous nous mîmes à causer — de Casanova, naturellement. Il possédait bien le sujet, de la façon la plus scientifique, à l'allemande. Il devait avoir un système de fiches très complet sur le personnage. — Comme il est absolument impossible à deux amateurs de Casanova de s'entretenir cinq minutes du Chevalier sans aborder la question fondamentale du manuscrit, il nous fallut parler du manuscrit. Mais je crois que ce fut moi qui le premier posai la question. Et je vis l'œil du professeur Swervagius flamboyer à travers ses verres. — Ma première question fut au sujet de ces deux chapitres inédits, retrouvés à Dux, et publiés par Raoul Vèze dans l'édition de la Sirène. Le document étant ainsi devenu public, il n'y avait aucune raison de ne pas l'évoquer, ce n'était un mystère pour personne. Je fis part au professeur Swervagius de ma conjecture.

Le brouillon des deux chapitres retrouvés aux archives de Dux, après y avoir dormi plus d'un siècle et demi, ouvre la porte à une hypothèse élémentaire. Ils fournissent la preuve évidente qu'il y a eu un autre manuscrit, un premier état des *Mémoires*, dont ils figurent une partie détournée, et que ce manuscrit n'a rien de commun avec la copie au net de Brockhaus, — si d'ailleurs elle existe encore, car personne ne l'a jamais vue. Donc, il faut peut-être chercher dans ce qui reste des archives de Dux...

Le professeur Swervagius sourit, d'un air de satisfaction manifeste, impliquant un prochain triomphe. Ayant bu une longue lampée de l'excellente bière de Pilsen, il secoua la tête plusieurs fois, d'une manière négative :

« Mon cher monsieur, affirma-t-il, permettez-moi de vous dire que vous faites fausse route. Vous êtes, comme tous les Français, un sceptique, un monsieur qui doute de tout. Le manuscrit, le *seul* manuscrit des *Mémoires* de Casanova de Seingalt existe toujours. Il n'y en a qu'un. Il est conservé dans un coffre-fort de la librairie Brockhaus, à Leipzig. »

Il me regarda, et il ajouta sans me quitter des yeux :

« Je l'ai vu.

— Alors, dis-je, en faisant mine de me lever, toute affaire cessante, alors, dis-je, dans ce cas, je vais à Leipzig.

— Ce serait tout à fait inutile, dit Swervagius. Les Brockhaus n'ont pas abandonné leur projet d'édition définitive. Ils ne vous communiqueront certainement pas le manuscrit. »

J'allais dire : « Vous voyez bien! » — Mais l'excellent professeur balte me parut si résolument enfoncé dans son orthodoxie brockhausienne, que je jugeai bien inutile de poursuivre. D'ailleurs, qu'il y ait encore réellement, ou qu'il n'y ait pas de manuscrit de Casanova chez Brockhaus, cela n'empêche nullement qu'il puisse en exister un autre. Je le dis à Swervagius; et l'idée me vint qu'en dépit du ton péremptoire qu'il donnait à ses dénégations, il était peut-être, à part lui, aussi convaincu que moi de l'existence de cet autre manuscrit, et de l'intérêt qu'on aurait à le retrouver. — J'aime bien les gens convaincus, mais je n'aime pas qu'on ajoute à la conviction, toujours légitime, l'air du mystère et de la supériorité. Si bien que je me mis à rire, et sans dévoiler plus explicitement les dessous de ma réflexion, je lui dis :

« Mais alors, que faites-vous à Dux? »

Il me répondit, sans paraître du tout décontenancé :

« Je pourrais vous demander aussi : Qu'y êtes-vous venu faire vous-même? Mais vous me répondriez probablement : Je me promène. Supposons donc tout simplement, mon cher monsieur, que je me promène, moi aussi. D'ailleurs, je crois me souvenir que je vous ai déjà parlé, lorsque j'ai eu l'honneur de faire votre connaissance, l'autre jour, le jour où vous avez eu cette chance inouïe, avec votre *Histoire de ma fuite,* d'un important travail que j'ai entrepris sur les divers séjours de Casanova en Bohême. Ce n'est, à vrai dire, que ma thèse complémentaire à mon ouvrage capital, dont je crois vous avoir aussi parlé, sur *les Influences manuélines dant l'art baroque en Europe centrale.* Mais c'est Casanova qui m'intéresse le plus en ce moment. Et il est fort naturel, vous en conviendrez, monsieur le casanoviste, qu'un casanoviste vienne voir Dux...

— Comme moi, dis-je.

— Comme vous », fit-il en s'inclinant.

Et il ajouta aussitôt, comme pour prévenir une objection :

« D'ailleurs, vous avez pu vous en persuader vous-même. Dux n'est intéressant que pour la curiosité du décor. Puisque les archives n'y sont plus...

— Elles y ont été, et ce château a peut-être encore des recoins...

— M. Bernhard Marr a publié son inventaire. Il n'a rien trouvé en fait de *Mémoires...*

— Excepté les deux chapitres en brouillon... Mais à propos de M. Bernhard Marr, il doit bien savoir ce qu'elles sont devenues, ces archives. Vous n'allez pas me dire que vous ignorez l'existence de M. Bernhard Marr, et que préparant un *Casanova en Bohême,* vous ne vous êtes pas mis en communication avec lui? Ce serait un défaut de méthode surprenant de la part d'un savant professeur, comme vous, monsieur Swervagius, bibliothécaire en outre, comme vous, de l'Université de Kaunas. D'autant que bibliothécaires tous les deux, M. Bernhard Marr est votre collègue. Et on ne se refuse jamais rien, entre collègues.

— Pensez-vous, dit avec une tristesse sincère Swervagius, pensez-vous que si M. Marr, contre toute vraisemblance, avait connaissance d'un document aussi prodigieux qu'un manuscrit autographe inédit de Casanova, il le communiquerait d'une manière bénévole à ses collègues? Monsieur le casanoviste français, permettez-moi encore de vous le dire : c'est une supposition insensée. *Unsinnig, absolut unsinnig!* »

Le professeur Swervagius saisit brusquement sa chope vide dans son poing fermé, et il se mit à la brandir avec la véhémence de l'homme des cavernes, un caillou dans sa forte patte, pour la défense de son quartier d'ours ou de bison :

« Moi, monsieur, si j'avais... dans ma possession... un manuscrit de Casanova... je... je ne sais pas ce que... je... »

Il était fort rouge, l'œil injecté, le bourrelet de sa nuque empourpré. Il me vit sourire. Il se calma subitement. — Dans sa gesticulation, il avait bousculé la table devant moi. Mon carnet était tombé à terre. Le docteur Rudo Swervagius le ramassa, en s'excusant beaucoup de sa maladresse... J'avais encore un peu de temps avant l'heure d'aller à la gare. M. Swervagius voulut me rendre la politesse et demanda de la bière à son tour. Nous reprîmes la conversation, toujours sur Casanova, mais sur un autre thème, moins excitant que le manuscrit. Il s'agissait de savoir si la tombe de l'aventurier, à Sainte-Barbara, était réellement perdue, ou si l'on pouvait en repérer l'emplacement... Mais il y avait lieu de penser que le cimetière avait été plusieurs fois remanié, au cours du dernier siècle, et que les anciens ossements ont dû être réinhumés, pêle-mêle, dans une tombe commune, en sorte que...

Ici, le docteur Swervagius se leva précipitamment, me pria de vouloir bien veiller un instant sur sa volumineuse serviette, et gagna le fond de la salle. Il revint, dans le temps normal, avec le sourire d'un homme satisfait. Il se rassit, avec un bon rire — et crut de son devoir de s'excuser, pour m'avoir faussé compagnie, par un propos confidentiel :

« *Ich glaube, ich hatte etwas zu viel Bier getrunken.* »

Je me disposais à partir, et j'allais prendre congé du bibliothécaire de Kaunas. Il se leva aussi, voulut à toute force m'aider à enfiler mon pardessus. Il était devenu très aimable.

« Si vous consentez, me dit-il, j'aurai l'honneur de vous accompagner à la gare...

— Vous voulez être bien sûr que je suis parti? »

Il se mit à rire, avec une grosse bonhomie.

« Ces messieurs français, toujours gouailleurs! — Oh! mais ceci est peut-être à vous? »

Il s'était baissé, pour ramasser sous la banquette un papier qu'il me tendit. J'y donnai rapidement un coup d'œil, et m'exclamai. C'était le billet ramassé à l'église Saint-Jacques, à Prague — celui de la dame au crayon. Je l'avais tout à fait oublié, il avait dû glisser de mon carnet, quand celui-ci était tombé sous la table, par l'effet des gesticulations du Swervagius. Je le remis distraitement dans ma poche. — J'ai toujours beaucoup de paperasses dans mes poches. — M. Swervagius m'accompagna jusqu'à la gare, en m'entretenant de considérations fort avisées sur le baroque. En passant devant une boîte aux lettres, il y jeta une enveloppe.

« C'est pour ma collection de timbres-poste. C'est une lettre que je me suis écrite à moi-même, pour avoir le cachet de Dux. J'ai aussi une très belle collection de timbres-poste. »

Nous nous quittâmes, le train venait d'être annoncé. Swervagius me serra cordialement la main, s'inclina beaucoup.

« Bonne chance! lui dis-je gaiement. Et si vous retrouvez le manuscrit, prévenez-moi, pour que je ne perde pas mon temps à le chercher!

— *Ach!* fit-il, mais il n'y a pas deux manuscrits! Le seul manuscrit est à Leipzig.

— Bonne chance tout de même! » lui criai-je en montant dans le train.

Le professeur Swervagius hochait la tête, sur le quai, d'un air consentant, affectueux et vaincu. Il avait l'air de dire :

« Vraiment cette légèreté française est inimitable! Ces Français sont irrésistibles! »

VII

LE DIPLOMATE
DEUX RENDEZ-VOUS PRIS

La première chose que j'aie apprise en revenant à Prague, c'est que les archives de Dux — ce n'est un secret pour personne, et l'honorable M. Swervagius s'est fichu de moi — ont été transportées dans un autre château des Waldstein, à Hirschfelde, en Silésie. — La seconde, c'est que M. Bernhard Marr est absent. Je lui écris donc, avec prière de faire suivre, pour lui dire l'extrême plaisir que j'aurais à le connaître, et lui demander le service de m'introduire auprès de l'héritier de Waldstein, afin de visiter ses archives casanoviennes, si à mon regret M. Marr ne pouvait m'en faire lui-même les honneurs. — M. Marr m'a répondu par courrier, de la façon la plus obligeante, qu'il est en ce moment à Bratislava, où il a trouvé du nouveau sur l'auteur des Mémoires, — tiens!

tiens! — et qu'il espère bien pouvoir se mettre à ma
disposition, si je prolonge jusqu'à son retour mon
séjour en Tchécoslovaquie. Tout va donc bien de ce
côté.

Cela fait, j'ai accompli quelques intéressantes promenades à travers Prague. Je suis monté à Strahov,
voir le monastère des Prémontrés. Ravissant exemplaire de baroque riche, avec sa chapelle de grand
style et ses bibliothèques amusantes où triomphe le
stuc, dans sa plus libre et folle exubérance d'encadre-
ments, de rinceaux, de fleurs, de trophées, de guirlandes, sous des plafonds peints, entre les boiseries et
les colonnades, au milieu des livres et des manuscrits,
des globes célestes et terrestres, et de la plus divertissante collection d'appareils optiques. — Cependant,
on voit d'aussi belles collections, d'aussi beaux jeux
de glace, d'aussi beaux stucs au Clementinum, par
exemple, et en fait de décoration et de rocaille, le
palais Wallenstein et le palais Lobkhovice sont peut-
être plus surprenants encore. Mais ce qu'il y a de plus
admirable, chez ces Prémontrés, et même dans tout
Prague, c'est la vue de Prague elle-même, contemplée
du haut des jardins de l'abbaye. Et le panorama vaut
bien un croquis.

Dominés à gauche par les superstructures impo-
santes du Château Royal et de la cathédrale Saint-
Guy, appuyés à droite sur les pentes de la colline
Saint-Laurent, les jardins de Strahov descendent en

vergers de pêchers et d'abricotiers, qui doivent être
jolis au printemps, vers la partie basse du « Petit
côté ». Au-delà des champs de fruitiers, la vieille ville
développe au loin, parmi les touffes de verdure de
ses parcs, à peine roussis par l'automne, l'inextricable
enchevêtrement de ses toits de tuiles mordorées; et
le fleuve d'argent, qui forme la charnière du paysage,
déploie ses tranquilles courbes autour de ses îles feuil-
lues, vertes encore. Voici de nouveau le pont Charles
et ses statues mouvementées, flanqué en amont
d'énormes herses de madriers qui le protègent, au
fort de l'hiver, contre le heurt des glaces dangereuses
que le courant charrie avec violence. Puis, sur la rive
adverse, c'est la vaste étalée de la « Rome du nord »,
dans la glorieuse vapeur bleuâtre et dorée du couchant, les longues façades brunes ou ocrées de ses
monuments surlignant les quais; et la mer de toits
ondulés de pourpre sombre, hérissée de frontons, de
clochers, de dômes, de flèches et de campaniles, entre
les coupoles bulbeuses de cuivre verdi ou rutilant sous
leurs revêtements de métal passé au minium. Ah! que
ne suis-je donc peintre — et quel triste outil que le
crayon; et que la page blanche de mon carnet me
paraît terne, quand il s'agit à tout instant d'exprimer
ou de fixer dans mon souvenir la magie merveilleuse
et le jeu des couleurs, la folle fantaisie des lignes, des
masses et des formes! Quelle immédiate joie, pour
l'œil, de ces hauteurs, que cette couleur bien cuite

et comme croustillante des toitures, où chantent çà
et là l'éclat vif d'une tuile neuve, et le ton fané des
crépis qui teignent les murs, dans cette symphonie
exquise des nuances, où le roux domine, et la feuille
morte! Plus encore que le regard, à la contemplation
de ce sublime paysage urbain, c'est l'esprit qui est
le plus content, pour la majestueuse impression d'équi-
libre, de puissance, de stabilité que procure la perspective, comme ici, d'une ville robuste et largement
assise dans un décor bien distribué et vu de haut!

Je suis descendu vers le fleuve, au hasard des petites
rues, ravi de ces vieilles maisons pragoises, dont chacune élève au ciel un amusant fronton de forme différente, étagé en gradins ou triangulaire, à coupoles
jumelées en bulbe, couronné de trophées, de pignons
ou de pots à feu, flanqué de puissantes consoles ou
de légères volutes. Les façades, décorées de stucs capri-
cieux entre leurs élégants balcons de ferronnerie, sont
revêtues de badigeons fanés, vert lavé, gris bleu, vieille
rose, et percées de doubles fenêtres à petits carreaux,
sertis dans des boiseries blanches. Et tout cet enchevêtrement de styles : le gothique aérien de Saint-Guy,
le roman de la chapelle Saint-Georges, le XVIIIe Marie-
Thérèse du Château Royal aux grandes salles autri-
chiennes blanc et or, le classique du palais Czernin,
le noir et baroque palais Wallenstein avec sa loggia à
l'italienne et ses ruisselantes grottes de rocaille, le
berninesque hôtel Clam Gallas, dont un couple hale-

tant d'athlètes supporte au-dessus de son porche un
balcon de pierre écrasant! Et cet autre, dont j'oublie
le nom, ou un cerf tout empanaché de ses bois, plus
grand que nature, semble escalader le portique... Je
suis entré dans les églises — j'ai revu le Tyn, Saint-
Nicolas et Saint-Jacques encore, vide cette fois d'émouvante étrangère, mais toujours menant au milieu de
ses polychromies extravagantes, le même ballet de
saintes ravies, de martyres extasiées, d'angelots peints
et cabriolant, d'évêques crossés et mitrés, acrobatiques
sur leurs socles et dansants sur leurs piédestaux.

Cependant, en fait de baroque, rien ne vaut, pour
la perfection dans le mauvais goût et la loufoquerie
délicieuse, le petit cloître et la minuscule chapelle
de Notre-Dame de Lorette : vraie volière d'anges
rebondis, voltigeant sur les nuages peints et les pers-
pectives en trompe-l'œil des autels, de chérubins cul
par-dessus tête, raclant du violon ou soufflant du flû-
teau, se lutinant ou portant l'emblème de quelque
martyre célèbre. J'en ai vu un, tout réjoui, qui présentait dans une assiette, comme une pêche Melba, les
seins coupés de sainte Agathe. Autre mystère, au même
lieu : que signifie cette femme à barbe, en robe
blanche, grandeur nature et mise en croix — sainte
Barbe de cirque Barnum dans une chapelle rococo[1]?

---

1. Renseignement pris, il s'agit d'une sainte Wilgeforte, de son
vivant belle et chaste fille, objet de l'assiduité des barbares. Pour
mieux protéger sa vertu, Dieu lui fit pousser une barbe, destinée
à décourager ses admirateurs. De dépit, ils la crucifièrent.

L'art a quelquefois la permission d'être fou. J'aime
mieux Phidias, assurément, que ces sulpiceries de
l'autre siècle; mais je demande, étant en vacances, la
liberté de me plaire aussi à cela. Il y a un mauvais
goût qui touche à un tel degré de perfection qu'il
peut en être délicieux — comme on parle d'une dou-
leur exquise pour désigner en physiologie celle qui
ne peut absolument pas se supporter.

Dans cette cité catholique, aux mille églises, moins
faites pour la prière que pour la distraction, l'endroit
le plus religieux, c'est encore, au cœur de la ville, le
cimetière juif. Tout ce qui reste de l'ancien ghetto.
Il y a une synagogue extraordinaire, d'ordre gothique,
construite au XIIIᵉ siècle, pour la communauté juive,
par un bâtisseur de cathédrales, Pierre le Parleur.
Habile homme qui, pour ne pas introduire la croix
dans un temple hébraïque, ajouta à l'entrecroisement
des voussures une cinquième arête, superfétatoire et
ne supportant rien. — Le cimetière juif — Beet Chagim — se trouve à deux pas, fort émouvant, dans un
jardin d'épais feuillage où l'on entend plus d'autre
lamentation que le pépiement des oiseaux, heureux
de ce nid de verdure au cœur d'une ville de pierre.
Les tombes historiées, gravées d'inscriptions talmu-
diques, portant le nom ciselé du défunt et sa traduction figurée par l'image d'un lion, d'un renard,
d'un loup, d'une truelle ou d'un ciseau, selon le mort
qui gît sous ces pierres dressées comme dans un cime-

tière d'Orient, et qui s'appelait Lœwe, Fuchs, Wolf, Schneider ou Bauer. Innombrables, ces tombes respectées, serrées, pressées l'une contre l'autre, recouvrant plusieurs couches de morts superposés, faute de place, depuis dix siècles; toutes entretenues, et l'objet d'un culte. J'y ai noté celle d'un rabbin miraculeux rendu à la terre il y a quatre cents ans, mais bien achalandée encore, à en juger par le nombre des petits cailloux votifs pieusement posés sur la dalle, et l'accumulation des billets glissés dans la tombe par une fente, pour obtenir de l'intercesseur la guérison des maladies. Un fidèle, immobile et chapeau en tête, récitait, auprès, sa prière, quand j'y passai. Le type même du croyant. J'ai pensé à notre Barrès, en visitant ce cimetière encombré de Beet Chagim. Il eût aimé ce lieu d'espérance et de foi, enfoui sous ce feuillage enchevêtré et bruissant d'oiseaux, ce coin séculaire de paix, au cœur d'une grande cité libérale à toutes les croyances, où les morts continuent d'agir. Beet Chagim : la maison de la vie.

Ces moments d'heureuse et de flâneuse rêverie donnés à mon goût de la solitude en voyage, je suis revenu dans le siècle, et j'ai téléphoné au Diplomate. Il m'a appris diverses choses. Entre autres, que nous allions chasser la semaine prochaine en Bohême du Sud, que les mouflons se confirmaient chez l'archevêque d'Olomucz, et que dans l'intervalle, après ma conférence à Bratislava, le comte Ricolfi se ferait un plaisir de me recevoir dans son domaine des Karpathes, avec mon fusil, pour tirer quelque grosse bête. Mais surtout l'excellent Saint-Elme m'a appris ce que c'est qu'un diplomate en action; et l'espèce n'en manque pas, en ce moment, à Prague, où tout le monde intrigue, se remue et veut jouer un rôle.

Jamais Genève, aux plus beaux temps de la Société des Nations, n'a offert un plus pathétique spectacle aux curieux de complications, de combinaisons, de manœuvres. A Genève, la question était de savoir comment on s'arrangerait pour vivre en paix. A Prague, ce n'est que de guerre qu'il s'agit. Il s'agit de savoir si l'Allemagne mettra la Tchécoslovaquie dans sa poche, comme elle a fait de la pauvre Autriche. Si l'Angleterre le tolérera. Si la France fera la guerre à l'Allemagne pour sauver les Tchèques, ses amis. Si la Russie s'en mêlera, si la Pologne, si la Yougoslavie, si la Roumanie... et la Hongrie? — Il y a les Allemands des Sudètes qui veulent leur autonomie. Il y a les Slovaques irrédents, les Subcarpathiques unitaires, les minorités de tout poil et de tout langage, la mission anglaise et l'observateur américain, le Russe expectant, le groupe parlementaire français en voyage : un croisement perpétuel de curieux et de touristes, chacun avec sa conviction, son tuyau, sa curiosité, son remède — tous les *Il-n'y-a-qu'à* et tous les *Voilà-dix-ans-que-je le-dis* des deux mondes — sans compter beaucoup de

promeneurs sans opinion apparente, venus pour voir
et se renseigner... Il y a les Tchèques enfin, résolus,
décidés à ne rien savoir de ce qui menace de réduire
leur indépendance et d'attenter à leur sentiment natio-
nal...

Au milieu de quoi, il y a Philippe de Saint-Elme,
ôtant, remettant son monocle. Saint-Elme, son léger
strabisme, sa façon délicate de porter la tête, un peu
en arrière, un peu de biais, ses hennissements silencieux, ses dénégations nasales (« n'... n'... n'... »), ses
mutismes lourds et pénétrés, ses mouvements de sourcils dans les occasions d'accablement *où-l'on-ne-peut-
pas-en-dire-plus* — ses petits rires de gorge, quand
ils ne peuvent rien signifier, ses mains en l'air à tout
propos, en signe d'évidence, — « naturellement! », —
ses vêtements de bonne coupe, à toute heure merveil-
leusement appropriés aux circonstances (tweeds, che-
viotte croisée, jaquette ou smoking). Bref, Saint-Elme,
Saint-Elme, Saint-Elme, unique en ses aspects divers,
que Marcel Proust appelait « mon cher enfant »; qui
appelle à son tour les grandes dames par leur petit
nom (Anna, Pata, Marie, Kiki ou Maricote); qui sait
très bien utiliser une demi-douzaine d'anecdotes, de
préférence anglaises, et spécialement « bumbury ».
L'important, le naïf, le discret, le prudent, et l'iné-
narrable Saint-Elme — diplomate baroque lui aussi,
et du style le plus chantourné, on ne peut pas plus
« quai d'Orsay »; qui a toujours l'air, dans la vie,

de marcher sur des œufs et de se promener en portant
des bombes armées, prêtes à exploser dans ses poches.
D'une maîtrise parfaite de soi, au point d'avoir un
jour, sans broncher, avalé son monocle tombé dans
sa purée de pommes de terre, alors qu'il dînait avec
une archiduchesse (on l'a su par l'archiduchesse). —
Héroïque, il n'eut l'air de rien. — Au reste, serviable
et gentil, et tout à fait « mon cher enfant » à la
condition qu'il n'y ait pas un Monsieur de Ceci, une
Madame de Cela, une notabilité anglaise, Eden ou
Wells, dans le plus restreint périmètre, auquel cas —
« n'... n'... n'... » — il devient puant et cesse aussitôt
de vous voir, comme si vous étiez fait de verre.

J'ai donc vu Philippe de Saint-Elme. Il était dans
un de ses bons jours — toujours très mystérieux, c'est
certain, mais avec moi sans méfiance, car il m'a classé
dans la catégorie des maniaques et des rêveurs inof-
fensifs. Mes recherches sur Casanova, par exemple, ont
le don de le divertir; il ne s'intéresse, en fait de
lecture, qu'à la littérature sans ponctuation, à Claudel,
à Joyce et à Saint-John Perse. J'ai cependant essayé
de savoir un peu de lui ce qui se passe, dans cet
imbroglio tchécoslovaque. Saint-Elme doit être ren-
seigné.

« Où en est-on? »

Rien ne paraît jamais plus choquant à Saint-Elme
qu'une interrogation directe. C'est chaque fois comme
si on lui prenait quelque chose dans la poche. Un

point d'interrogation au bout d'une phrase lui fait
toujours l'effet d'une pince-monseigneur à crocheter
les coffres-forts. — Ma question lui parut donc de
mauvais goût, et il eut en la recevant un véritable
haut-le-corps diplomatique.

« Voyons, mon cher, me dit-il, vous comprenez
bien, je suis tenu à une extrême réserve — d'autant
plus qu'avec cette manie que les gens ont de fourrer
leur nez partout, la diplomatie devient un art très
difficile. Ces journalistes notamment sont intolérables.
Croyez-vous? Ce qui se passe à Prague même, c'est
toujours par les journaux français que nous l'appre-
nons à la légation, vingt-quatre heures après tout le
monde... C'est inconcevable! Mais, au fait, personne
ne sait rien. Il n'y a pas trois personnes en France,
excepté Pertinax et Mme Tabouis, qui sachent seulement où se trouve la Tchécoslovaquie. »

Il se prit à sourire finement, me regarda de biais,
la tête un peu rejetée en arrière. C'est chez lui un
signe d'anecdote, ou de plaisanterie.

« Que voulez-vous que l'on fasse comprendre à des
gens qui croient que Skoda est une eau gazeuse, que
le mouflon est un oiseau, et la Moldavie une rivière,
et qui prennent les Sudètes pour des nazis! J'espère
ne pas vous l'apprendre : les Sudètes, ce sont des mon-
tagnes. »

Et le Diplomate de rire, comme il sait le faire, sans
bruit, en expulsant l'air de sa gorge. — Voilà la spé-

cialité de Saint-Elme : c'est un homme qui excelle
à ne jamais faire aucun bruit. Il en est fier. Pour lui,
tout le secret du métier est là. — La première vertu
d'un diplomate, a-t-il l'habitude de dire (il est volontiers sentencieux), consiste à savoir entrer dans un
bureau ou dans un salon sans qu'on l'ait seulement
entendu ouvrir la porte et la refermer derrière lui.

« Vous me demandiez, je crois, où l'on en est? Je
ne puis vous dire qu'un mot, de nature à vous rassurer : on cause. »

« On cause », dans la bouche de Saint-Elme, cela
dit tout. Tant que l'on cause, entre diplomates, tout
va bien. Il n'y a plus rien à dire; il n'y a qu'à laisser
causer les spécialistes. — Quand on aura fini de causer, de deux choses l'une : ou les affaires seront
arrangées, et on continuera à causer d'un autre sujet,
ou les affaires ne seront pas arrangées, et la parole
sera au canon, ce qui n'empêchera pas de causer
encore dans toutes les chancelleries, pour essayer de
le faire taire. Tout cela me paraît d'une logique parfaite. En attendant, M. de Saint-Elme voudrait profiter du moment de détente que je lui procure — et :

« Si nous parlions un peu d'autre chose, voulez-
vous? »

Je n'ai pas grande chance de le faire participer à
mes préoccupations casanoviennes.

« Comment pouvez-vous vous intéresser à ce
drôle? D'abord, les *Mémoires*, c'est archiconnu. Et

puis, entre nous, est-ce que vous ne trouvez pas un peu surfait, un peu gros, cet homme à femmes, et ses succès à toutes mains, et ses perpétuelles histoires de filles troussées? »

Je n'essaie pas de convaincre M. de Saint-Elme. Je n'ai pas de goût pour le prosélytisme, et si je lis un livre qui m'amuse, il m'est assez indifférent d'obliger les autres à s'y amuser à leur tour. Chacun est libre. Cependant, il me semble savoir pourquoi, au fond, M. de Saint-Elme n'a pas de curiosité pour Casanova. C'est que Casanova aimait les femmes — et je soupçonne le Diplomate d'être un tant soit peu pédéraste. Oh! pédéraste est peut-être un bien grand mot, pour un garçon si discret et si distingué. Il y a une façon de dire les choses tout à trac et comme elles sont qui ne lui convient nullement. — Mettons donc qu'il est seulement uraniste, c'est une nuance. Et tout est nuance, avec Saint-Elme. Mais j'ai idée que si je lui annonçais que je viens de découvrir la véritable filiation de Gaspard Hauser, ou de mettre la main sur les Mémoires authentiques de M. de Charlus, ou sur un paquet de lettres intimes de Saint-Loup, au lieu des manuscrits autographes de mon Chevalier, M. de Saint-Elme serait infiniment plus intéressé. — Je le vois même, à ce propos : — « Ah! vraiment... M. de Charlus... ou Saint-Loup — a laissé des papiers?... Mais comme c'est curieux!... Et Gaspard Hauser serait un fils de Napoléon et de la princesse

Stéphanie?... N'... n'... n'... » Et il renverserait un
peu la tête, de côté, d'un air de rêverie et de médi-
tation, voilée de nonchalance. Toutefois, n'étant pas
informé plus exactement de ces choses, je me rabats
sur Marcel Proust, dont je sais que Saint-Elme a des
lettres, le « cher enfant » ayant beaucoup connu l'ami
de Swann et des Guermantes, avant la gloire, avant
tout le monde, naturellement. Il a lu *la Prisonnière*
en manuscrit, il sait très sûrement qui est Alber-
tine. Par malheur, dès qu'on le pousse un peu sur ce
sujet, il devient assez réticent, et reprend son air de
mystère. — « C'est très complexe, vous savez... ces
questions de transfert, de refoulement... » — Je refoule
ma curiosité, et tente un transfert :

« Et vos lettres de Proust, enfin, vous décidez-vous
à les publier?

— Oui, j'y songe... La *N. R. F.* m'a fait des pro-
positions... Mais enfin, cher ami, ce besoin qu'ont
les gens de publier leurs papiers intimes... C'est inconcevable, ne trouvez-vous pas?... Le cher Marcel avait
beaucoup de confiance en moi, il me disait tout...
Vous entendez bien mon scrupule... »

Je l'entends très parfaitement. Nouveau transfert,
où il est successivement question d'André Gide, retour
de Russie — (« Position absurde... n'... n'... n'... J'aimais mieux les *Lettres à Angèle*, ou *Paludes* : « *J'écris
Paludes...* ») — de Levet, de Léon-Paul Fargue, de
Kafka, des derniers *Rhumbs* de Valéry. — Il y aura

un mot aussi pour Stendhal, qui de tous les écrivains
du siècle dernier, a seul trouvé grâce aux yeux de ce
difficile moderniste. Mais le sujet déjà est un peu usé.
Il y a tant de monde à présent autour de Stendhal. —
« Mon cher, cela devient impossible. Ce n'est plus
une chapelle, c'est une cathédrale!... » Ou bien :
« Aldous Huxley a écrit un très joli roman qui n'est
pas encore traduit. Je l'ai lu en anglais. Vous ne lisez
pas l'anglais? Quel dommage! Pour moi, je ne peux
pas lire un ouvrage étranger dans une traduction. Cela
devient si différent de l'original... » — Saint-Elme a
rencontré Giraudoux à Bucarest, il y a peu. Il m'en
donne les meilleures nouvelles, puis s'esclaffe, sans
bruit, — se rencogne, me regarde encore de travers,
m'ayant mis dans son champ de vue toujours un peu
délicat à accommoder. Anecdote? Anecdote. — « Je
ne sais pas si je vous ai dit un joli mot de Philippe
(c'est Philippe Berthelot qu'il veut dire) : — « J'aime
mieux la façon ingénieuse dont notre Giraudoux rate
ses légères hirondelles que celle dont Morand tue à
tous coups ses gros pigeons. » — C'est drôle, n'est-ce
pas? N'... n'... » C'est drôle, en effet, et je ris. Je ris
un peu plus longtemps que ne s'y attendait le Diplomate. Il s'étonne, lève le sourcil, laisse tomber son
monocle (depuis le dîner avec l'archiduchesse, il le
porte au bout d'un cordon) — le remet — et partage
courtoisement mon hilarité. — Je ne peux pas lui dire,
décemment, pourquoi je ris. C'est qu'il me revient à

moi aussi une anecdote. — Philippe de Saint-Elme
a été marié. On se trompe parfois. Et Philippe de
Saint-Elme a été aussi trompé par sa femme. Il l'a
su. Sa femme le trompait avec un de ses amis les
plus chers. « C'est inconcevable... » L'apprenant, Saint-
Elme a eu devant témoins un mouvement superbe :
— « Je vais aller gifler cet individu, » — et toute
affaire cessante, il descendait déjà son escalier, puis
s'arrêta pile — s'apercevant qu'il avait aux pieds des
souliers jaunes. — « On ne peut pas aller souffleter
quelqu'un en souliers jaunes. » — Même venant de
chez Hellstern, évidemment. — Philippe de Saint-
Elme est remonté mettre des chaussures noires et enfiler une jaquette; ce qui constitue en effet une tenue
beaucoup plus correcte quand il s'agit de venger l'honneur outragé. Je dois dire que le suborneur de la vertu
de Mme de Saint-Elme n'a rien perdu pour attendre,
que la gifle a été donnée, et que Saint-Elme a reçu
avec beaucoup de correction, par la suite, un bon
coup d'épée dans l'avant-bras. — Saint-Elme est un
garçon des plus scrupuleux sur le bon usage.

« Qu'est-ce que vous faites ce soir? me demanda-
t-il.

— Rien de précis encore, répondis-je.

— Voulez-vous rôder? »

Va pour le rôdage... — Saint-Elme était d'humeur
plaisante. Je le sentais prêt aux concessions; et en effet
il m'en fit une, entourée de beaucoup de mystère.

— « Le casanoviste sera content », me dit-il. — Quoi?
Saint-Elme aurait-il, lui aussi, trouvé une piste?

Le Diplomate est venu me prendre, sur le coup
d'onze heures, à mon hôtel. Il avait dîné à l'ambassade
d'Angleterre. La conversation s'était prolongée. Pas
de nouvelles, bonnes nouvelles : on cause toujours.
Et dire qu'il y a des gens qui ne cessent pas d'annoncer, depuis vingt ans, qui vont répétant tous les jours :
« Cette fois, ça y est; la guerre est pour demain... »
Quand la guerre éclatera, ils finiront bien par triom-
pher. « Là! je l'avais bien dit! Il y a vingt ans que
je vous le disais! » Or comme on cause, il n'y a pas,
ce soir, péril en la demeure, et nous avons la nuit
devant nous, pour le rôdage. — « Le bonheur est au
coin de la rue », assure un philosophe de mes amis,
que cette espérance, en voyage, empêche toujours
d'aller se coucher à une heure raisonnable. Cet ami,
illusionniste, se figure sans fin qu'il y a, au coin de la
rue, au tournant, sur la première borne, une princesse
qui l'attend, et qui va, sur la borne... « Eh! non,
convient-il chaque fois : il y a bien une borne, mais
pas de princesse; ou alors quelquefois une personne
qui vous... mais c'est rarement une princesse... » —
Rarement me paraît admirable. Je le fais observer à
mon ami. — « C'est qu'il ne faut pas fermer la porte
à l'espérance et décourager le possible. » Voilà ce que
j'appelle un optimiste. — Je ne fais point part de ce

dialogue au diplomate uraniste, qui trouverait certainement ces propos vulgaires.

« Le casanoviste se prépare à êtrè content », lui dis-je, comme s'arrêtait la voiture devant un établissement éclairé.

Saint-Elme me désigna de la main l'enseigne transparente, où je lus en effet ces mots, inscrits dans une guirlande de roses et de masques : *Au Casanova*. — On entendait du jazz à travers la porte. — Satisfait de sa plaisanterie, Philippe de Saint-Elme rit beaucoup, tandis que nous déposions nos chapeaux au vestiaire. Il riait encore en montant l'escalier. « Je vous ai promis une piste. » Cependant dès que nous accédâmes au dancing, il reprit aussitôt sa dignité de chez le bon faiseur, et cet air revêche particulier à un diplomate qui se dispose hypocritement à s'amuser et entre dans un lieu de plaisir.

Ce qui suit est sans intérêt. Nous bûmes d'excellente eau-de-vie de prunes, appelée en Bohême *slivovice*, et nous fîmes danser, pour passer le temps, de jolies entraîneuses à demi nues, allemandes, russes, polonaises qui nous invitèrent à leur offrir des Lucky Strike et avec une complaisance infinie s'employèrent à faire renouveler nos slivovices beaucoup plus qu'il n'était raison. — M. de Saint-Elme danse bien. Il y avait un bon orchestre. Vers une heure, comme je commençais à bâiller, apparut Glinka. C'est un journaliste tchèque, de grand cœur et de grand talent, ami de la France, fort au courant de toute chose et qui connaît le Mitropa comme sa poche. Excellent patriote, en outre, spirituel, ardent, plein d'allant, et ne se couchant jamais avant cinq heures du matin. Il m'aperçut, leva les bras, et vint s'asseoir à notre table. Je ne sais si c'était l'effet de la slivovice, ou pour quelque autre cause, mais Saint-Elme devint un peu raide. Signe chez lui de la défense professionnelle. Certes, il estime Glinka, mais Glinka lui fait toujours une peur horrible : car Glinka, d'abord est journaliste, et puis il ne se gêne en rien pour penser tout haut ce qu'il dit, s'il ne dit pas toujours tout ce qu'il pense, ne disant que ce qu'il veut bien dire. On croit toujours qu'il va casser toutes les assiettes, et Saint-Elme a toujours, à côté de lui, l'air ennuyé et circonspect du monsieur qui va les payer.

D'ailleurs le pauvre garçon commença tout de suite à souffrir, et je le vis se hérisser devant Glinka, tout à fait comme pourrait le faire, à l'instant où il lappe son lait, un chat surpris par l'arrivée d'un gros chien affairé et joueur. Saint-Elme est évanescent, parle peu, ôte et remet trois fois son monocle avant d'opiner, pour se laisser le temps de la réflexion, regarde qui est autour de lui avant que d'entrouvrir la bouche, et voit des écouteurs partout. Il mourra d'une maladie de cœur, épuisé par la contention qu'il se donne pour qu'on ne sache jamais ce qu'il pense. Glinka

vient, s'installe, parle haut — non, plus exactement,
il parle sur son timbre habituel comme si vous étiez
avec lui dans son cabinet, comme s'il n'y avait point
d'indiscrets autour de lui, jovial, robuste, bien vivant,
avec autant de verve et d'énergie dans ses propos que
dans ses articles quotidiens, les plus sûrs, les mieux
informés, les plus fermes de tout ce qui s'imprime
en ce moment en Europe centrale. Je n'ai jamais vu
de type si égal. En voilà un qui se moque bien qu'on
sache ce qu'il pense! J'ai même idée qu'il ne lui est
pas indifférent, tout au contraire, d'être quelquefois
entendu de ceux auxquels il ne s'adresse pas directement, et d'être cru sur l'air qu'il a. — L'air qu'il
avait, cette nuit-là, — où la situation, je le sus par
la suite, était tendue — exprimait une tranquillité
parfaite et ne dénotait en tout cas aucune espèce d'inquiétude. Mais je ne pouvais pas douter qu'il ne
sût très exactement les choses. Toutefois, le connaissant bien, je ne doutais pas non plus que le lieu lui
parût mal choisi pour y traiter confidentiellement des
affaires publiques, et l'eût-il entrepris, j'aurais donné
moi-même peu d'attention à ses confidences, attiré que
je venais d'être par ce spectacle inattendu et stupé-
fiant, car j'avoue que je ne pensais pas à elle en ce
moment : la dame de Saint-Jacques, assise dans un
groupe élégant, à quelques tables devant moi, et qui
me regardait en souriant.

Non, décidément, ce n'est pas Jeannette, et je suis

fou d'avoir pu un instant m'imaginer que cette inconnue, assez bizarrement retrouvée en plusieurs circonstances sur ma route, ces jours derniers, pouvait être — devenue une autre, transplantée dans un autre monde, après vingt ans — la gentille, facile et un peu insignifiante créature que j'avais autrefois aimée à Dijon! — C'est la même stature, peut-être, et ces yeux tachés de points d'or, et le geste nonchalant des mains aux doigts entrecroisés, où pose le menton, les coudes sur la table. — Mais ni la bouche, ni le nez... ah! diable, après tout, comment donc était la bouche de Jeannette, il y a vingt ans?...

« Vous ne buvez pas, dit Glinka. J'avais une meilleure opinion de vous. »

La dame de Saint-Jacques souriait, et ce n'était pas à moi. Elle me regardait, ou plutôt regardait en face d'elle, et son regard passait sur moi, à travers moi, et elle ne me voyait aucunement. J'en eus le sentiment très net quand je la vis tourner la tête avec vivacité vers son voisin, qui lui disait sans doute des choses agréables, d'un peu près. C'était aux choses dites qu'elle souriait, les yeux dans le vague. Brusquement, son regard se posa sur moi, cette fois, ayant accroché mon image en passant; et, cette fois, elle me regarda, étonnée de cette nouvelle rencontre, comme si elle me reconnaissait. J'imaginai sa réflexion sur le moment : « Ah! voilà le Français inconnu de Saint-Jacques, du *Balzenden*, etc... » — Car j'avais été repéré, sans nul doute, au coup d'œil amusé, sans plus, que je sentis s'arrêter sur moi.

« Une touche, murmura Glinka à mon oreille. (Il sait très exactement le français.)

— Qui est-ce?

— Je ne sais pas, dit le journaliste — mais je sais qui est à côté d'elle. C'est le ministre du Guatemala. Attention aux complications diplomatiques! »

Saint-Elme avait mis son monocle. Il eut l'air de s'intéresser beaucoup à une exhibition de rumba qui se donnait juste à ce moment-là sur la piste — puis son regard se porta sur la table qui m'occupait. Et je le vis imperceptiblement marquer le coup. Ce garçon n'aime pas l'inattendu, décidément. Il ne connaissait pas la dame, et il m'en avisa par un léger haussement de sourcils qui lui fit tomber son carreau de l'orbite. Glinka paraissait égayé. — J'aurais donné beaucoup pour aller m'asseoir près de l'inconnue, et m'entretenir avec elle. — Elle se leva dans cet instant, pour danser avec l'un de ses compagnons. Ce n'était pas le poète que j'avais vu déjeuner avec elle, insensible à ses larmes, au *Balzenden*. Il ne figurait pas dans le groupe. Cette femme dansait bien. Elle était grande, et d'une élégance de bon aloi, avec je ne sais quoi d'un peu excessif cependant : c'est une personne qui donne beaucoup d'attention à sa toilette et qui a, de toute évidence, l'habitude d'être regardée. Elle ne voit que ce qu'elle veut voir. — Femme du monde?

Actrice? Peut-être... Elle passa, en dansant, pleine de
retenue, devant notre table. Mes yeux un instant croi-
sèrent les siens. J'eus à la fois l'impression d'être
observé et de n'exister pas pour elle. — Certainement, cette femme n'est plus très jeune. Le visage est
fait. Elle s'entretient soigneusement. Je ne la quittais
pas des yeux. — Revenue s'asseoir à sa table, l'ambassadeur la complimenta. Elle était heureuse de plaire,
mais elle se regarda sévèrement dans un petit miroir
tiré de son sac, et passa un bâton de rouge à ses lèvres
dont la forme devait être feinte, à voir l'application
qu'elle apporta à ce raccord. — Glinka se pencha,
avec son air malicieux :

« Allez donc l'inviter! »

Saint-Elme entendit ce conseil, qui parut le suf-
foquer.

« Non, pas de blagues! » souffla-t-il.

A ce mot, qui ne faisait point partie de son voca-
bulaire habituel, je conçus son inquiétude, et qu'il ne
trouvait pas décente l'idée seulement exprimée d'aller
inviter à danser, quand on ne la connaissait pas, une
femme du monde en compagnie, dans un lieu public,
d'un ambassadeur étranger. Là-dessus, Glinka, qui
s'était un instant absenté, revint s'asseoir, l'air animé,
suivi du patron de l'établissement, fort poli et tout
en courbettes.

« Je ferai fermer votre boîte pour huit jours! »

Je demandai à être mis au fait. L'ardent Glinka

témoignait de l'irritation, parce qu'une petite danseuse qu'il avait priée de venir s'asseoir à notre table,
était allée boire à une autre.

« Après tout, lui dis-je, elle est bien libre, cette
petite!

— Ah! voilà bien le bourgeois français! s'écria-t-il.
Un libéral!... Moi, je suis un sauvage d'Europe centrale, vous m'entendez! un démocrate, oui — mais
j'ai le sens de l'autorité. Quand j'invite une fille, je
veux qu'elle vienne! Tenez, voilà votre touche qui
se décroche. »

La dame de Saint-Jacques, en effet, était dans la
porte, debout, sa fourrure aux épaules, au milieu de
ses compagnons, comme une garde du corps autour
d'elle. Mais son sourire, à ce moment, était bien pour
moi. Avant de sortir, elle avait tourné la tête devers
moi, et fait à mon intention un mouvement comme
d'au-revoir, imperceptible. Je ne saurais dire si c'était
pour me remercier d'une attention qui peut-être ne
lui avait pas été indifférente, ou tout simplement pour
me marquer un peu de cette ironie féminine, habituelle aux femmes admirées et ravies de s'en aller avec
un autre, en laissant une nouvelle victime après soi.
Glinka, redevenu tout à fait calme, nous avait quittés
pour aller parler à quelques journalistes yougoslaves,
près du bar. — Il était tard, ou de bonne heure.
Saint-Elme et moi nous nous séparâmes au coin de la
Waslavské. — L'air frais des nuits avait rendu le

Diplomate au sentiment des choses sérieuses. Il se frappa le front, comme au retour d'un important détail que la futilité de la soirée lui avait fait oublier.

« Cher ami, j'y pense tout à coup. Avez-vous un fusil à balle, pour cette chasse chez Ricolfi et les mouflons de l'archevêque? C'est indispensable, votre seize ne suffirait pas. Je vous téléphonerai demain matin pour vous donner l'adresse d'un armurier, chez qui vous trouverez l'arme qu'il vous faut, et qu'il vous louera pour quelques jours. »

J'avais un peu mal à la tête, et la mélancolie qui s'ensuit. Négligeant la vieille idée que « le bonheur est au coin de la rue, au tournant, sous la forme d'une princesse qui » — je me dirigeais vers mon hôtel, peu enthousiaste à la pensée du mauvais lit qui m'attendait, avec ses difficiles draps à l'allemande et ses trois oreillers à consistance d'édredon, d'où l'on ne peut plus se dépêtrer quand on s'éveille. Il n'y a que les lits français, décidément. Cela m'a rappelé la liste « des meilleures choses qui soient au monde », dont m'a fait part un jour une amie d'autrefois qui avait beaucoup voyagé : les lits français, les vins du Rhin, la pâtisserie hongroise, la chaussure espagnole, les chevaux arabes, le cuir russe, la papeterie anglaise et la musique d'Allemagne. — Il faut bien que les voyages vous apprennent au moins quelque chose.

Je trouvai à l'hôtel deux lettres. L'une, du profes-

seur Swervagius, qui, en termes mystérieux, me donne
pour demain un rendez-vous secret à Beet Chagim,
où il me communiquera, écrit-il, un renseignement
capable de m'intéresser. — L'autre, du libraire qui
m'a vendu les *Mémoires* et *l'Histoire de ma fuite*, et
qui me prie d'aller le voir, au plus tôt, dans sa librairie.

Je suis allé chez l'armurier, j'ai loué un fusil de
précision, à chargeur et à triple détente, muni d'une
lunette d'approche qui permet de faire mouche à
huit cents mètres, — et j'ai rejoint le professeur Swervagius au cimetière juif. Il m'attendait dans l'allée
la plus détournée. Il avait le visage enfoui dans un
mouchoir. Je crus que c'était pour se cacher; c'était
seulement parce que ce véritable aryen ne pouvait
supporter l'odeur du Juif, même trépassé depuis longtemps; et l'idée des six mille Hébreux ensevelis au
cours des siècles dans le jardin de Beet Chagim, posi-
tivement, lui levait le cœur. Délicat docteur Swervagius! — « Ah! me dit-il, si nous étions en Allemagne,
ce charnier de ghetto aurait depuis longtemps disparu. » — Je lui fis observer que ce serait fâcheux
pour le pittoresque, et que ce cimetière, à vrai dire,
n'avait aucune odeur particulière, excepté de terre
d'automne, où les feuilles se défaisaient déjà. — *Ach!
nein, es stinkt!* fit-il, avec une grimace de dégoût.
Mais nous n'étions point là pour discuter sur les

préoccupations sanitaires et urbanistes du racisme, et M. Swervagius avait une nouvelle importante à me communiquer, cause de ce mystérieux rendez-vous. C'était pour m'apprendre que les casanovistes étaient sur une piste nouvelle du fameux manuscrit, que mon interlocuteur avait de la sympathie pour moi et qu'ayant deviné l'objet de mes recherches casanoviennes, il voulait me la prouver, en me donnant un renseignement utile.

« Vous aviez peut-être raison, me dit-il à voix basse, il y a quelque chose. Les archives de Dux ont été transférées au château de Hirschfelde, du côté de Zittau, près de la frontière silésienne. Allez-y. M. Bernhard Marr est absent, mais il y a un sous-bibliothécaire que je connais. Je lui ai écrit pour vous annoncer. Il vous attend, et avec mon introduction, il vous fera sûrement voir les papiers. »

Honnête et charmant Swervagius! Et moi qui m'imaginais avoir affaire en lui à un concurrent, à un ennemi! Je le remerciai de son obligeance. J'en étais si touché que j'oubliai de lui dire que je connaissais déjà très bien le transfert des archives de Dux à Hirschfelde — et que c'est, à Prague, le secret de Polichinelle, pour tous les fervents de Casanova. J'oubliai de lui dire que je le savais, ou je fis semblant de l'omettre, pour ne pas lui ôter le plaisir de me l'avoir appris si obligeamment. Le principal était de ne pas faire inutilement le voyage de Hirschfelde. J'y étais annoncé, attendu; je verrais les papiers! Que demander de plus?

« Je pars dès demain pour Hirschfelde, cher monsieur Swervagius. Vous êtes l'amabilité même. Je vais me préoccuper des moyens de communication.

— Vous avez un train pour Zittau, ce soir même, me répondit-il. A Zittau, vous trouverez aisément une voiture. Le plus tôt vous arriverez sera le mieux, cher monsieur le casanoviste. Il ne faut pas vous laisser devancer. La piste de Hirschfelde est la bonne. Il y a des confrères qui sont prévenus. Ne perdez pas de temps. Le plus tôt sera le meilleur.

— Eh bien, lui dis-je, je vais aviser. »

Je me mis à rire :

« Cela tourne au roman policier, cette poursuite des *Mémoires,* ne trouvez-vous pas? *Ou le policier poursuivi.* Ce sous-titre conviendrait à merveille à cet excellent Casanova, qui n'était peut-être que cela : un policier, avec l'imagination en plus. »

Sur quoi, le professeur Swervagius se récria. Car il n'admet aucunement, il ne veut convenir en rien que le cher Casanova ait été un vil espion, un stipendié de la police.

« C'était un agent secret, mon cher monsieur! Ce n'est pas du tout la même chose. Un agent secret! »

J'admirai ce sentiment si vif, si nuancé de la hiérarchie, particulier à l'Allemagne et dont le professeur Swervagius venait de me donner par ce détail un témoignage si parlant. Mais ayant dit ce qu'il avait à me dire, et pressé de quelque autre affaire, il s'excusa, pour prendre congé, devant la loge du gardien de Beet Chagim.

« Il vaut mieux qu'on ne nous voie pas ensemble, ajouta-t-il en me quittant. Je suis connu. Pour vous, allez à Hirschfelde en touriste, sans avoir autrement l'air d'un monsieur qui cherche des manuscrits. Cela pourrait vous faire tout rater. »

Je n'ai point parlé à Swervagius de mon rendez-vous avec le libraire; ni de Swervagius au libraire. C'est lui qui m'en a parlé le premier, dès que je fus entré dans sa boutique. Il savait ma promenade à Dux, de Swervagius même, et notre rencontre, par conséquent. Ce libraire, qui s'appelle Miroslav Hirack, m'a pris en amitié, lui aussi. Tout de suite il me met en garde contre le bibliothécaire de Kaunas.

« Je n'aime pas cet homme-là!

— Vous avez une prévention contre lui, monsieur Hirack, je le vois bien. Ce M. Swervagius est un très bon homme. Je ne lui confierais pas ma *Fuite des Plombs*, ni ma montre, peut-être, mais je vous assure que c'est un très bon homme. »

M. Miroslav Hirack a secoué la tête avec beaucoup d'obstination. Nous continuâmes à parler de Swervagius, aux malices cousues de ficelle. Mais je l'excuse sur la manie du collectionneur et de l'amateur de papiers rares.

« Entre nous, dis-je au libraire, j'ai idée que M. Swervagius n'est en Bohême que pour chercher le manuscrit des *Mémoires*. »

Le libraire hocha la tête de nouveau. Et il dit, sans paraître énoncer quelque chose de grave :

« On pourrait peut-être bien le trouver avant lui.

— Que dites-vous là, monsieur Hirack? »

Hirack me regarda soudain, de l'air d'un homme qui prend une décision passionnée et dangereuse. Il cessa tout à fait d'être un libraire très poli en face d'un client digne de considération. J'avais en face de moi un être énergique, animé d'une grande pensée.

« Voilà, monsieur, dit-il. Je puis avoir confiance en vous? Je suis sur la trace des *Mémoires*. Du manuscrit original, parfaitement! C'est une affaire énorme. Il ne faut pas que le docteur Swervagius arrive avant moi. J'ai soupçon que cet homme travaille pour le compte de la librairie Brockhaus. S'il met la main sur le manuscrit, ce manuscrit sera perdu pour les casanovistes sincères. Il ira se perdre dans les oubliettes de la librairie Brockhaus, à Leipzig, qui pourra dire par la suite qu'elle a toujours le manuscrit en sa possession. Que sais-je? Le publier peut-être! Il ne faut pas que les véritables *Mémoires* de Casanova paraissent à Leipzig. Il faut que cela paraisse à Paris. Si je déniche le vrai manuscrit, voulez-vous trouver l'éditeur français capable d'assurer l'édition difinitive de ce chef-d'œuvre? »

Il paraissait très animé. Il reprit :

« Monsieur, je ne suis qu'un pauvre petit libraire tchèque. Je m'intéresse beaucoup à cette affaire, qui peut être honorable pour moi, qui peut-être fera ma fortune. Je me suis confié à vous. Vous avez la moitié de mon secret. Voulez-vous m'aider?

— Volontiers, dis-je, mais comment?

— C'est bien simple. Le manuscrit des *Mémoires* est écrit en français. Je le parle un peu, mais je ne le lis pas. Je dois aller voir demain les documents qu'on me propose. Il faut que je sois bien assuré de ce qu'ils contiennent avant de m'en rendre acquéreur. Si je les fais voir à un confrère, ou à un spécialiste de Casanova, je risque de me voir enlever l'affaire sous le nez, ou bien on avertira le vendeur, qui me demandera trop cher. D'autre part, il faut se dépêcher, aller voir tout de suite les papiers. Etes-vous libre demain?

— Demain?... Diable!... Mais je vais à Hirschfelde, où M. Swervagius a pris le soin de me faire ouvrir les archives.

— Eh bien, vous irez à Hirschfelde une autre fois. La visite est sans intérêt à côté de la chance à courir avec moi... »

Miroslav Hirack m'explique l'affaire. Il a été prévenu qu'un chiffonnier de Slavkov, près de Brno, est depuis peu en possession d'un lot assez considérable de vieilles paperasses, dont beaucoup paraissent écrites en français. Il y aurait, entre autres, quatorze gros cahiers reliés, remplis d'un grimoire à peu près illisible. Le tout proviendrait d'une maison de paysans qui, pour s'agrandir, ont vidé un grenier rempli de cette bouquinaille inutile, abandonnée depuis longtemps. C'est le chiffonnier qui, sans en dire ou en savoir plus, a écrit lui-même au libraire pragois, qui le débarrasse parfois de ses vieux bouquins de rencontre.

« Je pars ce soir, par le train, pour Brno. Nous serons demain matin à Brno, à huit heures. De là, en auto, nous irons voir le chiffonnier de Slavkov; nous examinerons les manuscrits... Je ne sais rien d'autre, monsieur, mais j'ai une espèce de pressentiment... »

Miroslav Harack a le pressentiment communicatif. Vraiment, le manuscrit des *Mémoires*, retrouvé ainsi, ce serait trop beau! Un détail me frappe, néanmoins. Hirack a dit quatorze gros cahiers. Les *Mémoires* de Casanova, en 1798, formaient quinze tomes, on l'a vu... Il en manquerait donc un dans la collection du chiffonnier de Slavkov. Et si ce quinzième tome manquant n'était pas constitué par les deux chapitres autographes, conservés en brouillon dans les archives de Dux, d'où les quatorze volumes auraient disparu, à une époque indéterminée, pour une cause quelconque?... Ma foi, tout cela est troublant. — Le libraire me voit troublé. Il m'achève, du coup le plus sûr :

« Et pensez à la bonne tête que ferait votre bon

ami M. Swervagius, quand il apprendrait que vous avez vu les *Mémoires!* »

Je pars donc, ce soir, pour Brno, avec le libraire. Il exulte. Et pris d'un scrupule, cependant, si par cas nous faisions chou blanc, il me dit, pour me consoler par avance :

« Et puis, monsieur, si ces papiers n'étaient pas ce que nous cherchons, vous n'auriez peut-être pas tout à fait perdu votre temps, en venant avec moi à Slavkov. Vous aurez toujours la ressource d'aller visiter le champ de bataille. C'est intéressant pour un Français... Ah! mais vous ne savez peut-être pas : Slavkov s'appelait autrefois Austerlitz. »

VIII

LE COUP D'AUSTERLITZ

L'ART de la guerre est extrêmement simple, et se réduit en somme à deux combinaisons, s'il s'agit d'une bataille rangée : l'enfoncement du centre et le rabattement sur les ailes, c'est Cannes; l'attaque de flanc, c'est Austerlitz. L'affaire, dans ce cas, est d'attirer l'ennemi d'un côté, de fixer son centre dégarni en l'ayant amusé ailleurs, et de rompre son aile marchante, au cours de son déplacement. — « Pendant qu'ils marcheront pour tourner ma droite, ils me présenteront le flanc. » Qui parle ainsi? Napoléon, dans sa proclamation aux troupes la veille du combat. Les choses se passèrent comme il dit.

A Slavkov, jadis Austerlitz, on aperçoit très bien encore le champ de bataille, le dispositif des armées adverses. Voilà devant moi les douces pentes de Pratzen, le Santon, la route de Brno à Olmutz (Olomucz, celui de l'archevêque?). Vers la droite, le dévalement du plateau, la voie étranglée suivie par les Russes, et la place des étangs fameux, aujourd'hui vidés et comblés, où ils tentèrent le passage, sur l'eau gelée, que rompirent les boulets de la Garde. — Au-delà, le petit château d'Austerlitz où avaient couché les deux empereurs, le Russe et l'Autrichien. Et voici le chêne, au pied duquel Napoléon regardait la manœuvre se dérouler de la façon qu'il avait prévue. Est-ce là que voyant les Russes s'acheminer sur le piège des étangs, il se mit à chantonner, tout joyeux de la réussite de ses plans, ce refrain d'opéra-comique qui lui était resté dans l'esprit : *Ah! comme il y viendra...?* — Un soupçon de vulgarité dans le sublime, pour ramener le héros sur le plan humain et rendre Clio moins poseuse, j'aime assez cela. Miroslav Hirack, auprès de moi, me désigne les accidents du terrain, l'aspect des lieux, me nomme les étangs évaporés, le ruisseau, les villages. Tout est calme, assez vert encore dans ce pays marécageux, çà et là doré par l'automne. Il faudrait voir cela en décembre, au jour anniversaire de la bataille, sous un beau soleil rayonnant, émergeant des brumes. — Tout est calme, paisible, comme dormant, dans ce lieu de gloire et de mort. Ainsi va l'Histoire, dont la nature oublie qu'elle en a fourni le théâtre. Et moi, tant d'années au-delà d'un siècle, après ce grand drame, je rêve à ces choses épiques, et médite sur la fuite du temps, qui a rendu ces champs aux labours, aux moissons, aux saisons.

Beau sujet de philosophie à développer, s'il était plus neuf, sur ce thème éternel des choses d'autrefois, si proches et vivantes qu'on croit n'avoir qu'à étendre la main pour les toucher, sur les lieux mêmes... Mais passons, c'est d'autre chose qu'il s'agit.

Nous sommes arrivés, M. Hirack et moi, ce matin, à Brno. Une auto nous mène à Slavkov. Nous courons chez le chiffonnier. Et d'une! la boutique est fermée. Ledit chiffonnier, assure un voisin, est parti de bonne heure avec sa carriole, et ne rentrera qu'à midi. Que faire pour employer la matinée? Nous avons le temps d'aller voir le champ de bataille, et voilà pourquoi je griffonne ces notes sous le chêne de Napoléon, sur un carnet neuf, acquis en passant dans une papeterie de Brno. J'ai oublié mon calepin habituel, avec tous les papiers glissés dedans, à l'hôtel de Prague, dans la précipitation de ce départ improvisé.

Nous sommes revenus à Slavkov, repassés chez le chiffonnier. Il ne sera toujours là, nous répète-t-on, qu'à midi. — Slavkov est dépourvu de tout intérêt. Nous échouons, Miroslav et moi, dans la première vinarna venue, sur une place, où nous déjeunons de bière et de jambon, devisant en attendant l'heure. — Cette histoire de papiers de Casanova tout à coup me paraît absurde, et je regrettais déjà d'être venu, hors ce pèlerinage d'Austerlitz — quand...

... Quand la dame de Saint-Jacques est entrée, est

venue s'asseoir tranquillement à côté de moi, m'a regardé, m'a reconnu, et a éclaté de rire.

« Eh bien, monsieur, m'a-t-elle dit sans plus d'étonnement, de la même voix sans accent que j'avais entendue une fois à Saint-Jacques — eh bien, monsieur, il est dit que nos routes se croisent! Il me semble que nous nous sommes déjà vus?

— Oui, madame : nous avons pris le même train à la gare de l'Est, à Paris, le 2 octobre, je vous ai regardée descendre à Nuremberg (elle fit un signe d'assentiment); — j'ai eu l'honneur de vous prêter mon crayon à l'église Saint-Jacques de Prague (nouveau signe); — je vous ai aperçue à l'auberge du *Balzenden Auerhahn* (signe encore). Vous étiez l'autre soir au *Casanova*. Nous voilà de nouveau face à face, c'est très singulier, et pour moi, même, c'est charmant. Au reste, je ne suis pas bien sûr de ne vous avoir pas rencontrée ailleurs encore — mais il faudrait que vous m'aidiez... (Je la regardais assez directement en disant cela : elle parut surprise et ne broncha pas.) J'espère d'ailleurs que nous n'avons pas fini de nous rencontrer, et que le hasard me favorisera une fois de plus de cette chance... »

M. Hirack, par discrétion, s'était levé, pour aller considérer de vieilles estampes qui ornaient les murs de la salle. La dame de Saint-Jacques m'examinait avec une sorte de curiosité amusée. Elle semblait parfaitement à l'aise, habituée à ne s'étonner de rien.

Elle me dit : « Vous êtes Français, sans aucun doute? »
Sans aucun doute était flatteur, du moins je le pris
de la sorte. Et je m'inclinai, en répétant :

« Sans aucun doute. »

Elle reprit :

« J'ai été Française, moi aussi. Vous aviez l'air
d'avoir envie de me parler, l'autre soir, dans ce dancing?

— Oui, madame, j'en mourais d'envie.

— Vous vous portez bien pour un mourant. Que
vouliez-vous me dire? »

Que voulais-je dire à mon inconnue? Ma foi, je
n'en savais plus rien, à cette heure! Je voulais... je
voulais être à côté d'elle, comme maintenant, entendre
sa voix, la regarder, faire lentement sa connaissance,
enfin savoir pourquoi elle m'intriguait à ce point. Que
sais-je?... Ah! mais c'est que le Diplomate a raison,
de n'aimer pas qu'on l'interroge à brûle-pourpoint.
Cela déconcerte. Et cette femme qui me regardait,
avec cette désinvolture... — Jolie, certes; mais peinte,
et terriblement fabriquée, à l'examiner d'un peu près.
Quoi, vais-je demander à une femme qui ne les a plus
si ce n'est pas elle que j'ai aimée il y a vingt ans?
La question me parut tout à fait déplacée, d'abord.
Et puis, quelque peu ridicule. On doit être plus sûr
de ses souvenirs, dans cet ordre-là, il me semble.
D'ailleurs, non, Jeannette n'avait pas cette voix portée, ni ce nez, ni ce front, ni cette bouche. Rien de

rien. Pourquoi diable ai-je été me mettre dans l'esprit?... Enfin, je me trouvais un peu bête, avec cette personne aimable devant moi, qui ne paraissait pas farouche — qui m'avait attaqué, en somme, la première; que je savais sensible, de toute évidence, aux hommages, à un regard peut-être, seulement.

« Ecoutez, lui dis-je... Puis-je me permettre une question?

— Naturellement... »

Je pouvais me méprendre à ce « naturellement ». Naturellement oui? Ou bien si c'était, à part soi : « Naturellement, vous vous adressez à une inconnue, et vous commencez par lui poser une question! »

« Naturellement oui? »

Elle fit oui, de la tête, comme m'attendant de pied ferme.

« Puis-je vous demander... Voilà : je voudrais savoir votre petit nom. Il m'arrive de penser à vous. Et vous n'êtes pour moi que « la dame de Saint-Jacques ». Cela manque un peu... comment dirais-je?... d'intimité. Je ne vous demande pas qui vous êtes. Ce sera pour une autre fois. Votre petit nom seulement... J'espère n'être pas indiscret?

— J'ai un nom ridicule, dit-elle, : je m'appelle Dorothée. »

Dorothée? — En soi, c'est charmant. Même inattendu. Dorothée... Mais pourquoi fus-je aussitôt déçu d'apprendre que la dame de Saint-Jacques s'appelait

Dorothée? — Je ne m'attendais tout de même pas qu'elle m'embrassât sur la bouche, en me disant : « Mais voyons, grande bête, c'est moi! Tu ne reconnais plus ta Jeannette? »

« Dorothée, dis-je, c'est charmant. Mais pourquoi... »

J'hésitai une seconde, et j'étais ému. Cependant, me trouvant moi-même un peu sot, et de ce trouble, et de cette espèce de nécessité qui me poussait, malgré moi, à dire ce que j'allais dire :

« Mais pourquoi me suis-je figuré que vous deviez vous appeler Jeanne!

— Jeanne? Quelle idée! »

Elle avait levé le sourcil, étonnée.

Je murmurai, malgré moi encore :

« C'est dommage. »

Miroslav Hirack avait achevé de considérer ses estampes. Il les avait considérées une seconde fois dans l'autre sens. Il commençait à donner de légers signes d'agitation. La dame, ayant jeté un coup d'œil à la pendule, se leva.

« Nous nous rencontrerons peut-être encore!

— Je l'espère bien. »

A ce moment, il me revint à l'esprit que j'avais un papier à lui remettre; ce papier ramassé à Saint-Jacques à la place qu'elle venait de quitter. Je portai la main à ma poche... pour me souvenir aussitôt que j'avais laissé mon carnet à Prague, dans la poche d'un

autre veston. Le papier était dans le carnet. Je dis
seulement :

« Il est de toute nécessité que je vous revoie. Vous
partez? Vous habitez Prague? J'ai quelque chose encore à vous demander.

— Ce sera pour une autre fois, dit-elle. Le
hasard... »

La porte de l'auberge s'ouvrit. Un chauffeur parut,
la casquette aux doigts. Dorothée lui fit signe qu'elle
venait. Et moi, elle me salua très aimablement, toujours de son air amusé.

« Excusez-moi... je dois partir. »

Elle était déjà dans la rue. Je la vis monter en voiture, se pencher gracieusement à la portière, et me
faire, en riant, un salut d'adieu, de deux doigts portés
au bord du chapeau, comme Gary Cooper dans *le
Légionnaire*.

« Dépêchez-vous, dit derrière moi Miroslav Hirack,
le libraire. (Je l'avais complètement oublié.) Dépêchez-vous, il est midi, notre homme doit être de
retour. »

Le chiffonnier était de retour, en effet. Nous le
trouvâmes sur le pas de sa porte. Il reconnut Hirack,
et nous fit entrer dans l'arrière-fond de sa boutique,
encombrée de chiffons, de ballots, d'objets les plus
hétéroclites. Les papiers étaient dans une autre salle,
mis à part. Hirack s'était précipité. Je pensais beaucoup plus, pour moi, je dois le dire, à Dorothée, à

nos rencontres, à ses fuites, qu'aux manuscrits de Casanova. Hirack m'appela, me montrant une pile de
volumes, grossièrement reliés, des liasses de papiers
poudreux, noués de ficelles. Je vis bien, dans les livres
reliés, quelques manuscrits, dont plusieurs écrits en
français, d'une graphie ancienne, sur un papier jauni :
des vers, des pièces de théâtre, des dissertations, tout
un résidu de bibliothèque de château, dont le maître
avait dû s'intéresser aux lettres françaises, du temps
de Marie-Thérèse et de Joseph II. Mais de Casanova,
de rien qui ressemblât aux *Mémoires*, le premier coup
d'œil avait suffi à m'en aviser — pas une ligne!

« Eh bien, dis-je à Hirack déconcerté : voilà le
chou blanc annoncé. Vous avez rêvé, voilà tout. »

Hirack parlementait avec le chiffonnier. Sur une
réponse qu'il reçut de lui, je le vis devenir cramoisi,
lever les bras au ciel, se tourner vers moi :

« J'en étais sûr! Ils étaient là.... Les quatorze
volumes en français. L'*Histoire de ma vie*! Cet homme
a pu lire le titre!... Il vient de le laisser partir il n'y
a qu'un instant... un monsieur en automobile... qui
a tout emporté!... Voilà ce que c'est! Pendant que
vous parliez avec cette dame! »

Le chagrin de Miroslav Hirack faisait peine à voir.
Et j'étais moi-même attrapé... La porte s'ouvrit brusquement. Quelqu'un entrait avec fracas dans la boutique, et sans faire attention à nous, nous écartant,
s'adressant au revendeur :

« *Donnerwetter!...* Je vous donne le double ... le triple... »

C'était Swervagius, très surexcité. Sa vue me parut aussitôt divertissante. J'avais été joué, mais je n'étais pas le seul. Car il était bien évident que la piste devait être bonne. L'arrivée de Swervagius le prouvait.

« Eh bien, fis-je en feignant la sévérité : que venez-vous donc faire ici, monsieur Swervagius? Je croyais que le manuscrit des *Mémoires* était à Leipzig — ou bien à Hirschfelde?

— Monsieur, suppliait-il... au nom du Ciel... laissez-moi voir... »

Il allait, venait, cherchait partout, feuilletait les cahiers poudreux et les papiers épars que je venais d'examiner.

« *Zu spät!* lui dis-je. Encore une fois, vous seriez arrivé trop tard. Mais si cela peut vous être agréable, cher monsieur le Professeur, apprenez que M. Hirack et moi sommes arrivés trop tard aussi. »

Je lui contai notre mésaventure. Un monsieur était venu, en automobile, qui avait raflé les précieux papiers. Le chiffonnier dodelinait de la tête, montrait un billet de cent couronnes, le prix des papiers enlevés.

« Cent couronnes!... Il a vendu pour cent couronnes le véritable manuscrit des *Mémoires* de Casanova! Il faut que cet homme soit fou! »

M. Swervagius était accablé. Hirack lui confirma

ce que je venais de lui apprendre. M. Swervagius,
alors, me jeta un regard noir, enfonça son chapeau
sur sa tête, passa devant le libraire sans le voir, et
sortit d'un air furieux. Mais il revint dans la boutique, et s'adressant au chiffonnier fort étonné de tant
de bruit pour une marchandise dont il avait coutume
de se défaire au poids, M. Swervagius déclara solen-
nellement, le doigt tendu vers le visage du bonhomme,
à presque lui toucher le nez :

« Vous vous souviendrez de mon passage à Slavkov! »

Nous nous retirâmes tristement, Hirack et moi.
Il était vraiment déconfit. Et quoique je fusse beaucoup plus occupé dans ce moment de Dorothée que
de Casanova, j'essayai de divertir le pauvre libraire.

« Que voulez-vous, monsieur Hirack : nous avons
perdu Austerlitz, mais dites-vous pour vous consoler,
en pensant à cet honnête M. Swervagius, que vous
venez d'assister en quelque sorte à la revanche de
Sadowa! »

CHATEAUX EN BOHEME

LES perdreaux de Bohême sont, comme tous les perdreaux du monde, des ingrats, insensibles à ce qu'on
fait pour eux. On a beau leur venir habillé d'homes-
puns les plus délicatement automnaux, chaussé de
bottes les plus dispendieuses, armé de fusils perfec-
tionnés, et muni de cartouches à double douille, ils ne
se laissent pas approcher, et se sauvent à cent cinquante mètres. Mais la chasse en rond, à l'allemande,
permet d'assez jolis coups au rabat, et le lièvre, qui
pullule ici comme en Australie le lapin, fournit l'occasion de beaux tableaux.

Nous en fîmes de superbes, à Kunzach, en Bohême
du Sud, où grâce à l'obligeant Saint-Elme, il faut le
reconnaître, je fus accueilli de façon très courtoise
par d'honnêtes chasseurs indigènes, coiffés de jolis chapeaux verts et vêtus de cuirs enviables. La pratique

du rond allemand est amusante. Ce n'est pas la chasse
individuelle de chez nous, passion solitaire et qui
demande un flair particulier. Le rond allemand par-
ticipe de la manœuvre militaire, et comme tel, exige
une stricte discipline, la marche en commun et l'obéissance au sifflet. Aucune fantaisie, aucune liberté, l'intérêt est de tirer beaucoup. — On se réunit sur le
terrain, au petit jour, une cinquantaine de fusils,
autant de batteurs. Le bourgmestre du lieu, qui pré-
side la chasse, affecte sa place à chacun. — « Monsieur
un tel? » — Salut — salut. — « Veuillez prendre le
numéro 1. » Resaluts. Le chasseur numéro 1 s'en va
vers la droite, suivi à trente mètres d'un batteur. Le
numéro 2 prend à gauche; un batteur; — le 3 de
nouveau à droite, ainsi de suite, en deux files in-
diennes à larges distances et qui en se déployant sur le
terrain forment les deux branches d'un cercle qui va
se fermant, sur sept à huit cents mètres de diamètre.
Le cercle fermé, les chasseurs marchent vers le centre,
levant le gibier en tous sens. On tire devant soi, ou
en retour, en avançant jusqu'à tant que le rond soit
vidé. Un coup de corne arrête le tir, les chasseurs se
regroupent, le gibier tué est ramassé, mis en tableaux,
compté, enlevé, lié par les pattes sur de longues
perches portées par deux hommes d'une épaule à
l'autre; déchargé sur une charrette qui suit. — La
chasse va recommencer un peu plus loin, où l'on
effectuera un nouveau rond. — Casse-croûte léger sur

place, vers midi : de bière et de bons vins slovaques,
de jambon, de saucisses chaudes et de café noir. —
On chasse et l'on tue jusqu'au soir, et l'on dîne gaiement à l'auberge, en chantant.

Saint-Elme, à la chasse, est superbe; muni des car-
touchières, des fusils, des cuirs et des imperméables
les plus distingués, les plus adéquats. Il rate d'ailleurs tout comme un autre, en maugréant sur ses cartouches, de la dernière fabrication. Il a d'ailleurs
manqué la matinée, ayant voulu venir en avion;
l'avion, comme de juste, arriva plus tard que le train.
— Une auto frétée en commun à Hinjiku-Radecs nous
ramènera demain soir à Bratislava, où les populations
attendent d'être charmées par mon éloquence. Nous
visiterons quelques châteaux dans l'intervalle. Il est
très bête d'avoir raté le Casanova à Austerlitz — cet
épisode a mis en joie le Diplomate : il faut bien
que chacun s'amuse à son tour — et peut-être plus
bête encore d'avoir laissé partir Dorothée sans savoir
où la retrouver, — n'importe, ce petit voyage est
charmant. Le temps ne cesse pas d'être beau; j'en
profite pour voir la Bohême et m'enchanter de ses
paysages.

Et d'abord, la Bohême embaume. Je l'ai traversée
au printemps, dans une exquise odeur de foins, d'aca-
cias et de tilleuls; m'y voici à présent en automne,
qui ne le cède pas en saveurs, en parfums, en puis-
sants arômes. Assez de baroque comme cela! La nature,

aussi a ses charmes, et d'ailleurs, du plus loin qu'on
les aperçoit à travers la molle campagne, les hauts
clochers bulbeux piquant leur note rouge parmi la
verdure jaunie invitent à de plaisants arrêts l'amateur
d'art, si bon lui semble. Douce, verte et tendre
Bohême! Partout des cultures, des champs, des vignes,
comme en France; et çà et là, les hérissements de
lances des houblonnières. Des regains qui bordent la
route, entre les terres qu'on défonce, à tout coup le
lièvre déboule, le faisan, la perdrix s'enlèvent. Je
pensais avoir tout tué, l'autre jour, dans nos fabuleux
tableaux de Kunzach! La réserve est inépuisable. —
Pour le moment, voici les travaux d'octobre qui
s'achèvent, avec la dernière fenaison, le déchaumage,
les labours, la rentrée des meules. Dans les champs,
près des attelages, les femmes donnent la main aux
hommes, robustes et charmantes à voir, vêtues de
toile et ceinturées de rouge, la tête prise sous le fichu
triangulaire de couleur. Quand l'auto passe, curieuses,
elles s'arrêtent, se redressent, regardent, et vous disent
bonjour, avec la plus gracieuse gentillesse.

Et les villages! Propres, nets, parés comme pour une
fête, des fleurs aux fenêtres, les maisons deux fois
l'an repeintes de frais, d'un vif badigeon de chaux
vive; ici blanche, là jaune canari, rose, bleu lavande,
sous les toits de tuile ou de chaume. Joie délicieuse
pour l'œil coloriste, que l'étang redouble en reflétant
dans son miroir le paysage, entre ses escadrilles d'oies,

qui feront de si bons rôtis, à l'auberge!... L'eau abonde
en ce vert pays, autrefois rompu de marais, asséchés
et aménagés par les évêques au Moyen Age. Saint-
Elme est vraiment instructif, Guide bleu qui s'ouvre
tout seul, à la page qu'il faut. Et quelle mémoire
ont ces diplomates! Un visage, une fois entrevu, un
nom de village traversé ou seulement lu sur une
carte : à jamais gravés dans l'esprit pour revenir au
moment voulu! Grâce à lui, au retour, je serai vraiment très calé sur la Bohême.

Nous traversons, entre Tabor et Trébon (Tché-
bogne), une région d'étangs et de lacs du plus joli
effet dans le feuillage qui de toutes parts les enserre.
Eaux d'argent et tantôt d'azur, serties de pourpre, de
jade, d'émeraude, où s'engraissent les carpes fameuses
et semblent si heureuses les mouettes, de se savoir,
sans doute, incomestibles! — Vers relevés sur mon
carnet, c'est le commencement d'une fable :

> *La mouette et la muette*
> *Dialoguent dans l'étang.*
> *Trouveuse de devinettes,*
> *Dis-moi donc si tu l'entends,*
> *A qui parle la mouette?*

La suite à une autre fois... Je voudrais m'arrêter,
descendre, goûter ce calme au bord de l'eau... Mais
plus loin la forêt m'appelle, et ses apaisements d'un
autre genre. Elle couvre des milliers d'hectares de

sapins, de hêtres, de chênes. Qu'on la traverse par la
grande route, entre ses bordages de bornes blanches
et bien peintes, ou par l'étroit sentier de garde, à
l'heure où le cerf brame dans ses profondeurs, où la
biche inquiète bondit du fourré, l'ordre y règne, et
dans le sous-bois ratissé, la futaie bien entretenue, on
croit se promener dans un parc.

De pic en pic, au long des collines, au sommet d'une
butte, à la crête de la petite ville, avec son paisible lac
à ses pieds, une girandole de châteaux festonne, en
se jouant, la Bohême. Ici, ruine dont subsiste une tour
au milieu de ses éboulis; là, vieux burg gothique
radoubé à la Renaissance, brûlé par la guerre de
Trente ans, refait depuis, conservé par la même
famille à travers les siècles, passé depuis l'armistice
en d'autres mains, consolidé, repeint, rebrûlé, rebâti
et remis à neuf, toujours habité; ailleurs, élégante
bâtisse dix-huitième, style Marie-Thérèse, avec sa
façade blanche enjolivée de stucs, ses escaliers ventrus,
ses rocailles, ses grilles, ses terrasses, ses statues baroques et ses sphinx qui montent leur garde à l'entrée.
Tous, évocateurs des jours de guerre, d'opulence ou
de servitude, les châteaux eux aussi montent la garde
sur le paysage dont ils disent l'histoire et les vicissi-
tudes glorieuses. La Bohême est pays de guerre. Riche
province convoitée, toute ouverte à l'envahisseur. De
tout temps, elle fut lieu de passage au cœur de l'Europe, et couloir naturel aux expéditions des hommes

d'armes, d'Attila et d'Arpad à Tilly et à Wallenstein, à Frédéric, à Napoléon — et demain peut-être, à Hitler. Prague, où Chevert est entré par escalade, a subi l'assaut de Ziska, de Kœnigsmark, et à toutes dates les bombardements des canons de Prusse et d'Autriche. Partout, notés d'un point rouge sur la carte, les lieux historiques rappellent un grand drame, de beaux rêves d'indépendance et de fierté, la bataille, l'assaut, l'incendie et la résistance héroïque. Nul de ses châteaux qui n'ait, sur la face, sa brûlure ou sa tache de sang, ou qui ne montre avec orgueil en ses salles d'armes, ses trophées. J'en ai vu de beaux, et qui parlent. A Tabor, les chariots de fer de Ziska, le héros des guerres hussites; à Trebon, l'admirable palais Schwarzenberg, et sa fontaine, où un corbeau de pierre, symbolique, enlève par leur chevelure trois têtes décollées de Turcs, en souvenir de leur vainqueur, le maître du lieu; à Hradec, l'appareil formidable des tours, des échauguettes, des herses, et les profondes oubliettes... Vranov, massif et mystérieux sur son roc, et sa coupole d'ardoise, comme un casque... Telc, encore trop refait, trop neuf, en son gothique reconstitué, mais dont console une place délicieuse, en son dallage ancien, bordée de maisons peintes, sur arcades, aux frontons irréguliers, sous la dentelle des balcons et l'enlacement des stucs. Mais ce château abusivement restauré montre en passant quelques savoureuses drôleries : l'aventure, historiée

à fresque, notamment, d'un de ses anciens propriétaires, le gros Slavata, le « Seigneur de la Haute
Chute », un des défenestrés de Prague. Voilà le bonhomme, barbichu, ventru, engoncé dans sa collerette,
à l'ouverture de la fenêtre. Le voici, poussé par les
sbires, en train de choir à travers les airs. Une troisième toile le montre, en sa chute, miraculeusement
soutenu par de petits anges ailés, accourus pour le
secourir, en volant, et lui faciliter un atterrissage sans
danger, sur une charrette de fumier, où s'amortit la
catastrophe, au pied du palais...

Saint-Elme admire avec moi, en rêvant, ces tribula-
tions d'un confrère : car Slavata était diplomate. Il
soupire, et son inquiétude, pour une fois, aura fait
taire sa prudence :

« Et dire que tout cela finira peut-être encore par
une nouvelle défenestration et une nouvelle guerre
de Trente ans!

— Il y aura peut-être encore des anges », lui dis-je
pour le rassurer.

Mais Saint-Elme fait une moue triste.

« La diplomatie ne croit plus aux anges... »

Nous avons vu d'autres châteaux encore. Karlstein
aux tourelles, Milotice aux statues, Krivoklad, et Bitor.
Et vingt autres, aperçus seulement, dominant le bourg
ou rêvant sur leur lac, au milieu de leur parc français et de leurs terrasses italiennes. Objets de regret
et propos de retour futur pour le voyageur qui vou-

drait s'arrêter partout et tout voir. — La vie est mal
faite : trop courte. — Et ces bruits de guerre, toujours.

Ces étangs de Bohême ont de jolis noms. Ils
s'appellent la Jeune Fille, le Veuf, les Fiancés, le
Chancelier, l'Espérance, le Héron, la Mouette ou
l'Eau claire. Nous en longions un, que la carte nous
apprend être celui du Capitaine, et dont l'étiage
avait beaucoup baissé, jusqu'à laisser paraître le limon,
au pied des berges. Au détour de la route, nous aper-
çûmes un village en fête et fleuri de drapeaux entre
des guirlandes de feuillage, dans un grand concours
de gens assemblés. C'était fête, en effet : on vidait
l'étang. Derechef, Saint-Elme se frappa le front. « Où
avais-je la tête? » — Il avait oublié que le ministre
de l'Agriculture, à Prague, l'avait convié précisément
à cette cérémonie locale, occasion de rencontre et de
réjouissance pour les amateurs de vie campagnarde,
en Bohême. — Ces étangs appartiennent à l'Etat, qui
a mis la pisciculture en régie. La pêche y est interdite,
mais tous les quatre ans, petits poissons devenus
grands, on vide un de ces lacs, dont le contenu ramassé
est mis en vente. Cette coutume attire beaucoup de
curieux, et la foule était considérable sur les bords
du Capitaine. Il y avait des estrades pour les spec-
tateurs, une enceinte pour les invités, des fanfares
et des orphéons, des baraques où se restaurer, décorées
de fleurs et de branches, une animation de kermesse

tout autour, et le plus joli bariolage qu'on pût voir
par ce beau soleil, tous ces gens ayant revêtu leurs
costumes ou leurs uniformes. Et Dieu sait si les
Tchèques aiment la couleur! Les paysannes étaient
charmantes, dans la diversité de leurs accoutrements,
avec leurs amples jupes de toile blanche à longs plis,
leurs tabliers aux vives nuances, leurs corsages sou-
tachés, leurs manches bouffantes et leurs petites vestes
ajustées, leurs coiffes, leurs rubans, leurs bas rouges
ou rayés de rose. Et les hommes aussi étaient beaux
à voir, sous la courte veste de cuir ou de velours, les
braies ceintes de bandelettes entrecroisées, les che-
mises brodées d'écarlate ou de bleu. D'aucuns por-
taient de grands tricornes noirs, hérités de père en
fils depuis l'autre siècle. Il y en avait qui étaient coiffés de chapeaux de feutre pointus à larges bords, et
d'autres, de chapeaux de paille ornés de fleurs, qui
semblaient porter de petits jardins sur leur tête. On
reconnaissait des Sokols à leur culotte beige, en bottes
noires, la toque noire à calotte rouge ornée d'une
plume de faucon, nette et droite, la veste en sautoir
à l'épaule, retenue par une tresse en travers de la
poitrine et sous le bras, laissant apercevoir la manche
et la chemise pourpre. Tout cela allait et venait, ou
chantait des chœurs, et formait des rondes aux pas
contrariés, des danses savantes.

Je m'étais mêlé à ces groupes, et Saint-Elme avait
disparu. Je l'entrevis un peu plus tard, dans l'en-

ceinte, jouant du monocle, redevenu très diplomate,
au milieu de sportsmen élégants et de messieurs en
tube et jaquette : officiels, invités choisis, d'un pittoresque moins riant. Le laissant aux plaisirs du monde,
j'avais gagné le bord de l'étang, où le spectacle occupait une foule dense, dans l'odeur de l'eau, du limon,
de la poissonnaille. L'étang à peu près vidé de ses
eaux n'offrait à la vue qu'une étendue boueuse, çà et
là luisante de flaques, entre des rangées de filets,
étendus d'une perche à une autre, formant un chenal.
On voyait par places, dans les creux encore remplis
d'eau, le poisson grouiller comme dans des nasses, et
qui faisait jaillir de hautes gerbes, à coups de queue.
Puis, du bord, le poisson rabattu dans des réserves
plus profondes était ramassé à coups d'épuisettes, par
des pêcheurs vêtus de cuir et bottés de caoutchouc,
et baignant dans l'eau jusqu'au ventre, qui déver-
saient leur pêche en des comportes. C'était un grouil-
lement extraordinaire de pêche miraculeuse, un spectacle de création du monde, au jour des poissons, un
déversement prodigieux d'énormes carpes rousses, de
brochets comme des torpilles, de tanches vertes, au
ventre doré, au dos crêté de rouge. Les baquets,
amenés à terre, étaient déversés dans des auges, où
se faisait le tri, suivant l'espèce et la grosseur des
prises; chaque espèce entassée, avec des soubresauts et
des fliquendages, des éclairs d'écailles et de nageoires,
dans des hottes d'osier ou de bois, que des femmes

ruisselantes hissaient sur leur tête et s'en allaient, en double file, décharger sur des camions trépidants, aussitôt remplis démarrant. L'odeur marine était puissante, qui montait de la terre humectée, des boues affleurant, des herbes foulées, de ce bétail giclant et se débattant dans les cuves.

L'élégant Saint-Elme me rejoignit. Ecœuré de ces senteurs de halle, et très affligé au surplus, ayant heurté sur son passage une de ces porteuses de hotte, qui l'avait inondé d'une eau infecte. Il s'essuyait de son mouchoir et s'ébrouait, d'un air consterné, reniflant sur son épaule constellée d'écailles poisseuses, ces parfums de carpe et de vase. Il avait perdu son monocle. Il avait l'aspect d'un lévrier russe tombé dans une fosse à purin, et que, joint à sa tristesse native, la vulgarité de ce monde accablerait.

« Je pue, dit-il. Et moi qui n'ai jamais pu manger de la carpe, voilà bien ma veine! »

La fin de la journée fut morne. Nous étions remontés en voiture, et nous avions repris notre route. C'est bien vrai que Saint-Elme empestait. Il fut d'une humeur massacrante jusqu'à notre arrivée tardive à Bratislava, et les quelques propos qu'il me tint, au cours de cette dernière étape, ne furent que pour me donner des nouvelles très pessimistes sur la situation diplomatique. Il avait causé avec des collègues étrangers, rencontrés dans l'enceinte réservée aux invités du ministère. Tout ce monde paraissait très noir.

« A propos, ajouta-t-il d'un ton amer : je vous ai cherché, qu'est-ce que vous étiez donc devenu? Au lieu d'aller regarder ces poissons, si vous étiez resté avec moi, vous auriez peut-être pu faire une rencontre agréable... Vous savez, cette personne qui semblait tant vous intéresser, l'autre soir, au *Casanova*... Mais oui, parfaitement, elle était là...

— Tant pis! » dis-je, en feignant l'indifférence. J'eus le tort d'ajouter, malgré moi, et presque aussitôt : « Vous êtes bien sûr que c'était elle? »

Ce fut pour Saint-Elme le seul bon moment de la journée. Il se mit à rire, en un souffle; se recula un peu, pour mieux me voir, pour mieux jouir — féroce Saint-Elme! — de ma déconvenue. Et il dit, pour bien m'achever, de sa voix de nez, propre à l'ironie, au sarcasme :

« Qui va à la pêche... »

X

BRATISLAVA

A BRATISLAVA, joie nouvelle. Ma conférence est pour
demain soir. D'ici là, je n'ai rien à faire, et je me
livre à mon vieux vice (inoffensif) : la promenade à
la découverte d'une ville inconnue. J'admire d'ex-
quises façades, de grands lourds hôtels aristocratiques,
à porches blasonnés, sculptés, cavalcadant. Je flâne
chez des antiquaires, j'aperçois des jardins secrets au
fond de longs couloirs voûtés, j'entre dans des cours
gigantesques, où l'anneau attend le cheval, et le mon-
toir le cavalier, où d'immenses balcons intérieurs
arrondissent, d'étage en étage, leurs corbeilles de ferronnerie, où l'enseigne, le support de cloche, le
cadran solaire, la lanterne de fer façonné et ses décou-
pures profilent une ombre délicate de dentelle sur le
ton clair du mur badigeonné, couleur de citron ou

d'amande. C'est un perpétuel décor d'opéra et de vue
d'optique, où l'on souhaiterait un air des *Noces,* et
que Zerline ouvre la fenêtre et vous jette une fleur...
J'aimerais beaucoup qu'on me donnât une fleur. Sur
une de ces lanternes, chantournée, décorée de grappes
et d'acanthes, une hirondelle s'est posée, noire aussi
sur le feuillage de fer. noir. Très bien imitée, l'hirondelle... Mais non, c'est une vraie : elle s'envole.

Ces voyages sont délicieux. Tout y amuse, entretient
au cœur du touriste une frivolité enfantine. C'est
curieux, ce goût que je peux avoir pour les boutiques, en voyage; et cet intérêt que je prends à considérer des étalages de crayons ou de chaussures, ces
envies de tout acheter, cette belle veste de gazelle à
boutons de cuir, ces lainages, ou cette courte culotte
de daim gris, soutachée de vert, à porter flottante sur
le genou nu, — d'ailleurs importable. — Ou cette
cartouchière superbe, dont la boutonnière est fermée
de deux dents de biche...

Rien à faire, que m'enivrer de ce plaisir d'être
vaquant, inconnu, dans l'inconnu d'un monde nouveau. Rien à faire, que me gorger d'images, aliments
de mes souvenirs, en de futures rêveries. — Ces villages slovaques, traversés ce matin, avec leurs maisons
basses et peinturlurées, et leurs toits mordorés de
chaume, avaient l'air d'une boîte de jouets russes.
Car déjà voici l'Orient, le fondouk, et les rapides
attelages, dans la gaie sonnaille des grelots; les granges

de rondins, le cœur et l'oiseau peints de vives couleurs sur les murs, les chevaux libres dans le pré, et
les troupeaux de cochons noirs; et par ce lumineux
dimanche, les belles filles en costumes, robes brodées
et manches bouffantes, au milieu des cuves, sur la
place où se prépare la vendange. — Il faudra, ce soir,
que j'aille dans les vinarnas, où l'on boit les bons
vins slovaques de l'année, en écoutant chanter les
étudiants.

Ce propos m'a rappelé Vienne, et les petits bou-
chons de la campagne environnante, vers Grinzing et
vers Cobenzel, et les *heuriger* d'autrefois... C'était joli,
Vienne. Je n'en suis pas loin. J'irais bien, si j'avais le
temps... — Toujours cet appel de l'*ailleurs*. A y céder,
je finirais par accomplir le tour du monde. — Il faudrait tout de même être sage, content de se trouver
où l'on est. D'autant que j'ai beaucoup de choses à
faire à Bratislava — à commencer par aller voir
M. Chouanet.

Je suis donc allé voir M. Chouanet, qui m'attendait, sur la recommandation de mon ami Baury. Il
s'est offert à me montrer Bratislava dans le détail.
J'ai recommencé ma promenade, ai découvert de nouvelles cours, de nouveaux jardins, longé de nouveau le
Danube. La conversation de M. Chouanet est intéressante. Il représente le type achevé de ces Français
que l'on rencontre à l'étranger, qui sont venus par
hasard passer huit jours dans une ville, qui s'y sont

plu, et qui y sont restés depuis vingt ans, et qui y mourront, sachant tout, bien avec tout le monde, et précieux pour le compatriote de passage, si toutefois la sympathie joue. En une heure de promenade avec Chouanet, j'en sais plus sur Bratislava, ses mœurs, ses habitants et la façon dont on y vit que si j'y avais moi-même vécu trois mois. C'est que la sympathie a joué. Et Chouanet, pour me mettre à l'aise, au bout de cinq minutes, en a convenu. « J'ai vu que ça collerait tout de suite », m'a-t-il dit. Je lui demande son secret pour juger si vite les gens. — « C'est bien simple : vous aimez le pavé, cela suffit. Il y a les gens qui demandent à faire le tour de la ville en voiture, et ceux qui préfèrent la promenade à pied. Vous êtes de ceux-ci, on peut s'entendre. »

Il est vrai que la promenade à pied a du bon. D'abord, elle permet de causer. Devant le premier portail entrouvert, je m'arrête, j'entre, je donne un coup d'œil sur le jardin. — « Parfait, dit mon guide, vous êtes amateur de jardins, je vous en ferai voir d'autres. » C'est son goût, de faire les honneurs de la ville qu'il aime. Il a bientôt repéré le mien pour les stucs, les façades baroques, les vieilles maisons, les ruelles tortueuses, et qui parlent. M. Chouanet parle beaucoup, lui aussi; à tout instant, salue un passant, d'un mouvement de tête ou de la main. Il se promène tête nue, pour s'épargner la peine d'ôter son chapeau tous les dix pas. Nous avons rencontré ainsi le bourg-

mestre de Bratislava, et le directeur du théâtre, le
président de la section d'Alliance française, de qui
je serai l'hôte demain soir, le comte Palfy, l'évêque
en civil, le rédacteur en chef du *Ceske Slovo*, un agent
du deuxième bureau, le correspondant d'une agence
de presse anglaise, un pharmacien, M. Fabri, qui est
avocat, grand propriétaire et chasseur, un monsieur
dont je ne sais plus le nom et qui ne fait rien, un
autre, à la vue duquel M. Chouanet m'a fait brusquement traverser la chaussée, à angle droit : c'était un
raseur. Nous nous sommes arrêtés devant l'échoppe
d'un cordonnier, à qui Chouanet a demandé de ses
nouvelles, et qui a un merle blanc dans une cage
au-dessus de sa porte. Chouanet a dit bonjour au
merle, en sifflotant; et le merle lui a répondu. Je crois
même qu'il a appelé par son nom un chien qui passait, et le chien a remué la queue. — Entre-temps,
nous avons parlé de la situation, de ce que l'on dit à
Belgrade et de ce qu'on pense à Bucarest, de l'avia-
tion tchèque et de la loi des quarante heures, et de
l'élection de Maurras à l'Académie. Chouanet m'a
donné au surplus des nouvelles récentes d'un de mes
amis, qui habite à Paris dans ma rue, mais que je
ne vois jamais, qui était ici il y a huit jours; et de
tel conférencier de profession qui a fait un four
noir à l'Alliance le mois dernier. — Nous avons
parlé de Saint-Elme, — c'est-à-dire qu'au nom de
Saint-Elme, M. Chouanet m'a regardé, et nous nous

sommes mis à rire ensemble. Chouanet imite Saint-
Elme à la perfection, il a attrapé son « n' n' n' » et
son hennissement à s'y méprendre. Ce qui nous a
conduits à traiter de la diplomatie française en géné-
ral, et de l'espionnage nazi en particulier, qui dans
ces régions frontières donne beaucoup de fil à retordre
à la police : les agents de la Gestapo possédant à fond
l'art du grime et du camouflage. — Camouflage appelle
mouflon : j'ai fait part à M. Chouanet de mes projets
sur les mouflons de l'archevêque d'Olomucz, et sur
l'invitation que j'ai trouvée à mon hôtel, de la main
du comte Ricolfi, qui doit venir me prendre demain
soir, après ma conférence, et m'emmener chasser dans
les Karpathes. Chouanet m'a dit que la chasse du
comte Ricolfi était réputée et que je ne m'ennuierais
pas. Ce Ricolfi est, paraît-il, un type étonnant, le vrai
magyar d'autrefois, qui a des collections d'un genre
un peu particulier, mais remarquables, et une cave
encore plus intéressante. Il a épousé une star, c'est
sa cinquième ou sixième femme. On la dit très jolie,
mais Chouanet ne la connaît pas.

« A propos de collections, l'interrompis-je, est-ce
que vous ne connaissez pas M. Bernhard Marr, le
casanoviste? Je pensais le voir à Prague et je l'ai manqué. Il m'a écrit qu'il était à Bratislava, et je serais
bien aise de le rencontrer.

— Si je connais Bernhard Marr! Mais je crois bien :
nous avons déjeuné ensemble avant-hier. Il devait par-

tir pour Vienne le soir même... Casanova vous intéresse?... Il paraît que Marr est sur une piste de documents inédits... »

M. Bernhard Marr est à Vienne? En voilà d'une
autre!... Cependant, après l'histoire de Slavkov, il n'y
a plus pour moi de raisons de désirer m'entretenir
avec M. Marr — excepté le plaisir de connaître un
savant aussi érudit. Mais Vienne, tout de même...

« On va d'ici à Vienne facilement?

— Soixante kilomètres. Une heure d'auto, rien n'est
plus simple. Vous y allez et revenez dans la même
journée. Seulement, il faut un visa des autorités allemandes. Depuis l'Anschluss, ils sont pointilleux. Si
toutefois vous avez envie de faire la balade, dites-le-
moi, je m'arrangerai pour le visa, je connais quelqu'un
au consulat. »

Ma foi, je donne mon passeport à Chouanet. Si j'ai
vingt-quatre heures, avec ou sans Marr, cela m'amuse-
rait d'aller entendre un peu de Mozart à l'Opéra, de
revoir Schönbrunn et le Belveder, les Breughel du
musée, de me promener le soir dans Maria-Theresien-
strasse, de dîner à l'hôtel Sauer ou de déjeuner à
Cobenzel, s'il y a toujours des *scampi*...

Chouanet dut me quitter. Il avait affaire, et voulait
passer entre-temps au consulat pour le visa. Il me
retrouverait à l'hôtel pour m'emmener dîner dans un
petit restaurant serbe, où la cuisine est curieuse. —
En attendant, il me conseillait de traverser le Danube,

avec le bac, et d'aller goûter sur la rive droite, d'où la vue est belle sur la ville, au moment où le soleil se couche.

Je me suis donc rendu sur la rive droite du Danube, et la vue est belle, en effet, de la ville au-delà des eaux, entre son vieux château en ruine depuis l'in-cendie de 1808, l'anneau de collines qui l'enserre, et sa longue découpe de toits, de clochers et de tours, sur l'écran du ciel jaune et rose, qui peu à peu se déco-lore.

Je buvais d'excellent café, en remplissant à ma coutume mon carnet de mes observations de la jour-née; et je goûtais le repos délicieux du voyageur, heu-reux d'être assis après d'infinies déambulations. J'étais heureux et j'étais bien, dans cette détente et ce loisir... Chouanet m'avait mis en gaieté avec ses histoires. J'aurais été ravi de la partager, cette gaieté... Ah! ça, M. Swervagius me suit donc partout? — Le voilà qui venait vers moi, les bras levés d'étonnement, un bon sourire sur sa face patibulaire.

« Monsieur Swervagius, lui dis-je en lui désignant une chaise auprès de moi, monsieur Swervagius, je vous attendais. J'étais sûr que nous nous rencontre-rions encore. Je ne savais pas si ce serait ce soir ou demain, mais j'étais sûr de vous revoir. »

Le bibliothécaire à l'Université de Kaunas se con-fondit en admiration de ma double vue, sur ma poli-tesse, sur ma bonne mine. Je le priai de boire avec moi. Il se fit apporter un œuf cru qu'il délaya dans du café noir, y versa cinq ou six cuillerées de sucre en poudre, et il but ce breuvage, en me regardant dans les yeux, en me saluant et en disant :

« *Prosit!*

— *Prosit!* » répondis-je.

Et je ne sais quelle idée diabolique me vint, pour ajouter à ma bonne humeur, par le condiment d'une légère farce, absolument inoffensive, à l'égard de ce bon M. Swervagius :

« Comment allez-vous, monsieur Swervagius, depuis notre dernière rencontre à Slavkov? Je vous avouerai que vous m'y avez fait peur, car vous paraissiez irrité.

— Notez, monsieur Swervagius, que c'est moi qui aurais pu l'être, car vous saviez très bien ce que vous veniez chercher à Slavkov après avoir eu l'intention véritablement machiavélique de m'envoyer promener à Hirschfelde! Se conduit-on ainsi avec les amis? »

Swervagius entra dans de confuses dénégations. Je l'assurai que je ne lui gardais pas rancune de son procédé, et que d'ailleurs j'avais fait mon deuil du manuscrit de Casanova, tout en espérant que la chance le favoriserait, pour sa part. Je lui demandais seulement de m'avertir, si par cas il faisait d'heureuses découvertes, car je serais toujours charmé de rendre publiquement témoignage de son zèle casanovien, en quelque article.

Là-dessus, je lui glissai, sans paraître y attacher

d'importance, que j'avais appris que M. Bernhard
Marr se trouvait à Vienne, où je me proposais d'aller,
par simple curiosité de voyageur, en étant si près —
mais sans nulle idée d'y voir M. Marr, qui me semblait, depuis notre commune mésaventure de Slavkov,
parti sur une fausse piste. Swervagius parut en convenir. Et nous parlâmes d'autres choses, notamment
de l'art baroque, dont il avait retrouvé des traces for-
melles chez les écrivains classiques, et chez Racine
même, de qui le vers fameux, *sa croupe se recourbe
en replis tortueux,* accuse l'indéniable goût de la
rocaille et du style jésuite le plus pur. Au reste, à
entendre l'éloquent professeur, qui a horreur de la
ligne droite, il y a du baroque partout, jusque dans
Homère. La description du bouclier d'Achille en offre
un exemple éclatant, et... mais la cloche du bac se
faisait entendre, qui annonçait le départ pour Bratislava. Nous nous levâmes. Et en se levant, M. Swervagius renversa son verre, qui vint se briser sur le
sol. Maladresse ou nervosité? M. Swervagius s'excusa
sur sa maladresse seulement, et il appela le serveur,
pour payer le verre cassé, afin que la casse n'en fût
pas imputée au pauvre diable. Car le bibliothécaire
de Kaunas qui est parfaitement capable d'étrangler
son prochain de ses mains savantes, s'il s'agit de Casanova, a manifestement très bon cœur dans toutes les
autres circonstances de la vie.

XI

MIMI BOLS

J'ai dîné avec Chouanet, chez les Serbes. J'aurai demain mon passeport visé pour Vienne. Après dîner, je suis rentré à mon hôtel, pour relire et classer les notes de ma conférence, et cela fait, n'ayant pas envie de dormir, je suis ressorti vers onze heures, sans autre intention que de revoir Bratislava sous la lune, le Danube, les petites rues. — « Le bonheur est au coin... » — Sera-ce une princesse?

Je comprends que M. Chouanet se couche tôt. Passé dix heures, il n'y a plus personne dans les rues de Bratislava, dont les mœurs sont provinciales. Qui donc pourrait-il bien saluer, M. Chouanet, sur ces places désertes? — Le cordonnier a dû rentrer son merle blanc, et le chien dort en rond, dans sa niche, du sommeil des chiens, agité de rêves.

Je commence à très bien connaître Bratislava. J'y ai même tout seul trouvé le dancing. J'avais envie de voir des gens gais, et je suis entré dans le dancing. Et la première chose que j'y ai vue, en fait de gens gais, c'était une femme qui pleurait : une danseuse hindoue, très exactement.

J'avais dû me tromper de porte, car j'étais entré dans un corridor, qui donne sur la rue et mène aux cuisines : l'entrée des serveurs et des artistes. Au milieu de ce corridor, il y avait donc une danseuse hindoue qui pleurait. Elle était appuyée au mur, des épaules, la tête levée, les bras ballants le long de son corps abandonné, ses voiles tombant autour d'elle. Elle sanglotait, et les larmes roulaient sur ses joues, des larmes d'enfant, de grosses larmes. Elle était jeune, assez jolie. — Une femme qui pleure — en hindou, en russe ou en tchèque — cela se comprend dans toutes les langues. Mais je ne parle pas l'hindou, le tchèque ni le russe, et j'étais bien embarrassé pour offrir des consolations à cette pauvre fille, qui était si seule, avec toutes ses larmes, dans ce corridor. Je lui dis je ne sais trop quoi, en français, sur un ton de plainte et d'intérêt qui la toucha probablement, car elle cessa de pleurer, renifla, me regarda d'un air étonné, puis elle haussa les épaules, pour manifester — autre disgrâce — qu'elle ne comprenait pas ce que je disais. Nous en étions là de cet entretien sans espérance, lorsqu'un homme en smoking se montrant à l'extrémité du couloir, la danseuse fut prise de panique, et elle disparut, les voiles palpitants, en courant, dans un escalier.

L'homme en smoking vint vers moi. C'était le gérant

du dancing. M'ayant reconnu pour ce que j'étais, un client éventuel, égaré dans ces corridors, il devint tout de suite très poli, souleva une tenture et me pria d'entrer, avec force courbettes et airs engageants. Il n'y avait pas grand monde, dans cette boîte, excepté un petit groupe d'officiers tchèques en bordée, quelques jeunes gens qui buvaient avec les entraîneuses, deux ou trois couples sur la piste; et au bar, un type parfaitement soûl qui racontait des boniments à la caissière... L'orchestre était bon, formé de tziganes (des vrais). Il y eut un roulement de tambour, qui annonçait quelque spectacle. La piste évacuée, la lumière fut mise en veilleuse dans la salle, et la scène éclairée de projecteurs. Et la petite Hindoue reparut.

Elle ne pleurait plus; elle avait séché ses larmes et refait son visage. Et sur une musique plaintive, elle commença de mimer, avec un air absent et sérieux, les sentiments d'une dame des *Mille et une Nuits* qui se dévoile devant son puissant seigneur et maître. Elle mima, devant cet imaginaire satrape, la crainte, la séduction, la pudeur vaincue et la volupté satisfaite, ôtant ses voiles un à un — jusqu'à demeurer à peu près nue, harnachée seulement d'une ceinture de perles et d'un gorgerin scintillant. Le corps jeune était ferme et pur. L'ivrogne du bar s'était rapproché et dodelinait de la tête en ricanant, son verre à la main et portant des santés à la petite. Rien de tout cela n'était spécialement brastislavien, pas plus que l'exhi-

bition qui suivit, et celle qui vint après, où la danseuse hindoue reparut, en Ecossaise cette fois, avec
kilt, sabretache barbue et toque à ruban, et dansa
la gigue, bras croisés; puis en vamp, avec des bottes,
de longs gants de cuir noir, une cravache et l'air
méchant. Mais quand elle passait dans cet attirail
devant les tziganes, elle perdait toute férocité et malgré sa tristesse profonde, elle ne pouvait s'empêcher
de rire de cette ridicule imposture. Son numéro fini,
elle s'éclipsa pour revenir au bout d'un instant, vêtue
d'une longue robe de satin blanc, sobre et décolletée
jusqu'aux reins, alla s'asseoir près de l'orchestre, et
parla aux musiciens, d'un ton animé, irrité.

J'aime les gens chez qui le naturel l'emporte. Si
bien que je m'intéressai beaucoup, subitement, à cette
petite esclave de dancing, capable à la fois de pleurer
et de montrer sa colère. Je l'ai regardée, et elle m'a
reconnu pour le monsieur qui l'a surprise en train
de pleurer dans le corridor; elle a souri, je lui ai fait
signe de venir à ma table, et elle est venue. Je lui ai
adressé en français un compliment sur sa danse. Elle
a levé les épaules, et ses sourcils peints, comme pour
dire : « C'est dommage, mais je ne comprends pas. »
Cette fille n'a pas le don des langues, assurément :
elle n'entend pas davantage l'anglais, ce qui n'est
après tout que demi-mal, car je ne le parle pas non
plus. J'ai essayé de l'allemand — mon allemand me
revient très bien dans mes voyages.

« *Sprechen Sie deutsch?* »

Elle a eu l'air ravi, du coup :

« *Ja, gewiss!* »

Eh bien, il fallait le dire plus tôt. « D'où es-tu?
Quel est ton pays, petite fille?

— *Tschechisch? Türkisch? Russisch?*

— *Ungarisch.* »

Hongroise? Parfait. Je vais lui parler du Balaton,
où je me suis baigné autrefois. Le nom, le souvenir
du lac Balaton, ont produit un effet magique à cette
enfant. Elle a battu des mains, elle s'est serrée contre
moi — et son visage détendu, après les pleurs et la
colère, m'a paru beaucoup plus charmant.

Elle est née près du Balaton, à Tihony. Il se trouve
que je connais aussi Tihony, aux cailloux de calcaire
blanc en forme de sabots de chèvre. C'est une vieille
légende hongroise que j'avais trouvée jolie, dans le
temps, et qui me revient. — Mais qu'est-ce qu'on boit?

Le serveur est venu.

« *Was willst du trinken?* »

Elle n'a pas hésité. Elle a jeté fièrement : *Barak
palinka!* C'est de l'eau-de-vie d'abricots, délicieuse,
qu'on ne boit que dans la pusta. J'en avais oublié
le nom; je retrouve la saveur exquise de l'alcool fruité,
parfumé, où déjà ma petite amie oublie ses chagrins.
Le violon tzigane s'est rapproché de notre table. Il
sourit, d'une bouche dentée d'or, et malgré son sourire, il est affreux : énorme, le cheveu lustré, ramené,

la peau grenue, grêlée et bistre d'un crapaud. Il salue,
se penche, et courbé sur son instrument, commence
d'en tirer une longue plainte, dont il suit en pensée
le déroulement, les yeux clos et comme en extase.
Sorcellerie irrésistible. L'archet va, vient, aplatit, étire
la lente mélopée, vous fouille le cœur comme avec un
crochet, vous en arrache les secrets, jongle avec, vous
dévide l'âme en fioritures, la noue, la dénoue, la fait
rebondir, la précipite en un scherzo extravagant; porte
avec elle sa mélodie au bord le plus aigu de je ne
sais quel vertigineux abîme. La phrase retombe soudain, pleure, se lamente, éclate, rejaillit, saisie d'une
transe furieuse, s'alanguit encore, soupire et puis
s'achève dans l'oreille, comme une imperceptible confi-
dence. Puis l'homme rit, heureux, amusé de l'acrobatie,
écrase ses cordes qui crient sous l'archet ainsi qu'une
bête blessée... Il salue encore, s'éloigne, continuant de
jouer, va rejoindre l'orchestre, où la contrebasse
meugle, où l'alto tisse une dentelle déchirante, où le
cymbalum fracasse et vrombit, autour de l'improvi-
sation nouvelle où le sorcier, sans arrêt, ourdit ses infa-
tigables et ses accablants maléfices.

La petite rêve auprès de moi, au fond de sa patrie
retrouvée; silencieuse auprès de moi silencieux... C'est
Dorothée que je voudrais avoir à côté de moi, ma
main posée sur son bras nu, ou la gentille Jeannette
d'autrefois. — L'esprit vogue en de vagues songes. —
Jeannette, Dijon, 1917. — « Vous n'auriez pas vu le

maréchal des logis Bétourné?... » Balaton 1929, et les
chèvres du diable de Tihony (on disait Tihogne). Qui
donc m'a conté cette histoire, dévalant avec moi les
pentes sur le lac, parmi les cailloux blancs roulant, en
forme de sabots, sous nos pieds?... — Le type saoul
est venu, en flageolant, inviter ma compagne à danser.
— De quoi? — C'est moi qui me lève et l'entraîne.
Nous dansons. J'ai contre mon cœur un sein dur, un
corps souple et nu sous la robe. Nous ne disons rien,
mais c'est agréable, cet abandon sur la musique qui
vous porte. — La petite...

« Comment t'appelles-tu? »

Elle lève la tête, me regarde et me dit son nom,
contente de devenir dans mes bras une personne qui a
un nom :

« Mimi Bols. »

Mimi Bols danse plaisamment.

« Pourquoi pleurais-tu tout à l'heure? »

Elle hausse l'épaule :

« C'est le patron qui m'a querellée... parce que je
n'ai pas voulu aller dans un « séparé » avec cet homme
saoul. Il dit qu'il veut me mettre dehors, et garder
mes robes, malgré mon contrat. »

Je me fais expliquer le contrat. Mlle Mimi Bols
est une artiste; pas une fille. Elle a ses diplômes de
l'école de danse de Budapest, qui fournit de danseuses à numéro toutes les boîtes de nuit du Mitropa.
Elle est engagée pour son numéro, voilà tout. Elle n'est

même pas tenue de danser avec les clients, excepté si cela lui plaît. Elle est à Bratislava pour un mois. Après? Après, elle ira à Brno, ou à Prague, à Vienne peut-être; — ou bien dans un petit dancing de province, à Hinjdriku-Radec ou à Tabor, selon les engagements possibles.

« A Paris? »

Elle a un mouvement de recul, comme si j'énonçais une inconvenance, je veux dire une chose impossible.

« Paris, naturellement non, oh! Paris... »

Pourquoi pas Broadway, tout de suite, ou d'aller danser chez le pape!

« Tu es toute seule?

— Oui, toute seule. Mais pour voyager, d'une ville à l'autre, nous nous arrangeons avec une amie, qui a aussi un engagement pour le même endroit. Et puis, il y a la *Frau Mutter,* qui sert d'impresario, d'habilleuse et de chaperon... »

Nous sommes retournés nous asseoir à notre table. Nous avons bu encore du Barak, le gérant a mis à la porte l'ivrogne qui devenait encombrant, je suis devenu mélancolique. Mimi Bols a continué de me raconter sa vie sans intérêt. Le gros tzigane est encore venu nous verser dans l'oreille ses confidences violonées, sa musique en forme de vrille. J'avais pris la main de Mimi Bols, elle a regardé ma bague — la bague de « Maurice à Jeannette ». — Il est très sot de penser à des Jeannettes mortes depuis vingt ans,

à des Dorothées de quarante— d'ailleurs difficiles à
fixer — quand on a enfin sous la main une vraie
femme, réelle et jeune, et qui vit seule, qui se love,
l'épaule nue, contre votre épaule, qu'on a consolée
quand elle pleurait dans un corridor, arrachée aux
mains d'un ivrogne, à qui l'on peut parler, dans une
boîte de nuit, de son village natal et des cailloux de
Tihony en forme de sabots de chèvre... Si Casanova...
Et quoi, encore Casanova!... Assez de fantômes, bon
Dieu! Assez de mortes, peut-être même retrouvées
sous les traits d'une autre! Mimi Bols devenait un
peu tendre. Il n'y avait plus grand monde dans l'établissement. Il fallait faire quelque chose pour cette
créature.

« Je peux faire quelque chose pour toi? »

Elle m'a dit — je le rapporte en allemand, c'était
plus gentil, surtout de la façon dont c'était dit, presque en soupirant, comme une prière, un besoin rarement avoué de quelque chose d'exceptionnel : *Nur
einige Worte... herzliche Worte...* Est-ce moi qui parle,
ou bien un autre, dans cette langue qui n'est pas la
mienne? Des vers me sont revenus à l'esprit, des vers
d'Henri Heine : *Ich weiss nicht was soll es bedeuten...
Ein Märchen aus alten Zeiten....* Et puis, pourquoi
est-ce que j'ai parlé de Jeannette, pourquoi est-ce que
j'ai raconté à cette fille que j'avais autrefois aimé une
petite Jeannette française, et qui lui ressemblait? Est-
ce vraiment qu'elle lui ressemblait? Je ne sais, mais je

l'ai dit pourtant — et ma foi, c'était un peu vrai, elles
avaient vingt ans l'une et l'autre. J'étais jeune et elle
était gaie. Il y a longtemps de cela. Et puis, elle est
morte, je le crois du moins, je n'en suis pas sûr.

Mimi Bols m'écoutait, moi, ou les Tziganes peut-
être, ou tout ensemble. Je lui aurais raconté n'importe
quoi, et elle m'aurait écouté pareillement, sur ce fond
de musique de fièvre, sans cesse retombant et rejail-
lissant, lui parler d'amour et de choses tristes, sans
rien demander. Je lui tenais toujours la main, je lui
ai caressé le bras. Il était tard, je n'avais plus beaucoup d'imagination. Mais moi aussi, j'avais besoin de
quelque chose, j'avais une extraordinaire envie de
recevoir une toute petite chose. Je crois bien que
j'étais ému en disant ceci :

« Ecoute, je vais m'en aller, je t'ai trouvée jolie
et douce. Je ne t'ai rien demandé. Je te souhaite de
n'être pas trop malheureuse dans la vie. Est-ce que tu
te rappelleras ce monsieur français inconnu avec qui
tu as parlé de Tihony? Est-ce que tu penseras un peu
à moi? »

J'ai dit cela en baissant la voix, comme quelque
chose d'indicible, comme un désir un peu honteux.

Elle n'a pas répondu directement, mais elle a dit,
avec une pointe de malice :

« C'est vous qui penserez à moi, un petit peu. »

Il y avait une rose, dans un vase étroit, sur la table.
Elle a pris la fleur et me l'a donnée.

XII

LA CHASSE RICOLFI

« Eh bien, me dit Chouanet, qu'est-ce que vous avez
fait aux Allemands? Ils vous refusent le visa pour
Vienne. J'ai insisté, mais il n'y a rien à faire, la décision est formelle. Je vous l'ai dit, depuis l'Anschluss,
ils sont devenus intraitables. »

Tant pis donc pour Vienne! Cependant, une idée
plaisante m'a diverti, et je fis partager à Chouanet le
sujet de mon hilarité. C'était de penser que le bon
M. Swervagius, qui me suit partout, irait m'y chercher
en vain. Le visa refusé me rendait la journée dispo-
nible. Chouanet me proposa une promenade, et j'ai
vu quelque chose de très beau. C'est, à quelques
kilomètres en amont de Bratislava, à Djevin, le con-
fluent du Danube et de la Morava.

Je suis monté sur un roc élevé, couronné d'un burg
en ruine. A mes pieds, le rocher surplombe un abîme

extraordinaire, où deux inondations se confondent, dans la réunion des deux fleuves. Fier spectacle, où rêver longtemps, sur d'immenses vues, devant l'horizon sans limite de la grande plaine morave, où les forêts moutonnent, comme un pelage pelucheux, entre les longs espaces des verdures plates, à l'infini, jusqu'au point où le cercle terrestre s'évanouit, fondu dans les vapeurs d'or rose et violettes du couchant. Les deux fleuves, descendus de l'ouest et du nord, en serpentant à travers les vastes déroulements de la plaine et du bois, semblent venir avec lenteur des confins du monde et du temps. A cette hauteur céleste d'où je contemple, sans pouvoir l'embrasser entier du regard, ce champ de vue prodigieux, nul bruit n'arrive qu'un faible cri de corneille luttant, au-dessous de moi, presque immobile, contre les courants d'air du fleuve, et le murmure éloigné des eaux, qui à l'endroit où elles s'unissent, forment entre la jaune Morava et le glauque Danube un mascaret, une frange écumeuse de boues réunies, que le courant bientôt dilue et entraîne dans ses tourbillons. Je garde, pour m'en souvenir longtemps, étonné encore de cette minute et de ce lieu, une impression inoubliable de grandeur, de solennité, de majestueuse solitude. Il n'y avait que des forêts, des eaux, la terre infinie et le ciel immense, où le soir montait. Pas une fumée dans la campagne, pas un bruit humain, pas une route visible, pas une maison, pas un être. Un

paysage de préhistoire. La nature seule, avant l'homme
— le monde en ses commencements... Et pourtant ce
décor d'apparente paix était rempli de pensées de
guerre et de menaces, suspendues. Qu'on était bien
sur ces hauteurs, loin des choses médiocres, des exci-
tations de la haine!... Il fallut redescendre, cependant,
revenir au monde, retrouver l'angoisse, les peurs, les
vains agitements, et dans Bratislava regagnée, ce tran-
tran de fourmis qu'offre l'aspect des gens qui vont,
viennent, baguenaudent, boivent, mangent, courent à
leurs tâches, s'arrêtent aux devantures, achètent le
journal du soir ou s'engouffrent dans les cinémas,
tant que la vie n'est pas bloquée, malgré la catastrophe qui se prépare; aussi indifférents en apparence
que les habitants sans souci de la fourmilière où l'on
va jeter du pétrole... — La salle de l'Alliance était
pleine, quand j'y arrivai pour prononcer ma conférence sur l'Histoire de la formation d'une famille de
la bourgeoisie française au xixᵉ siècle. — Beau sujet,
où dresser le bilan d'une société qui meurt, et va,
ce soir, peut-être, lire son arrêt, dans les affiches, sur
les murs, de la mobilisation universelle... — Car nous
aurons vécu ces temps, où nous nous couchons chaque
soir sans savoir si nous ne nous réveillerons pas, au
cours de la nuit, sous les bombes — à cause d'un
homme.

Le comte Ricolfi ne peut certainement pas passer
pour un pessimiste; et avant toute parole même, son

aspect, loin d'entretenir l'inquiétude, réconforte. Je
l'attendais à l'hôtel, en compagnie d'un Saint-Elme des
plus morfondus, noir, chargé de nouvelles lugubres,
que n'avait pas ragaillardi ma conférence. Sur le coup
de sept heures, le comte Ricolfi parut, comme un
raz-de-marée, dans le hall. Il passe les deux mètres
de haut, les épaules larges en proportion, l'une plus
remontée que l'autre, drapé dans une fourrure de
boyard, le visage rouge, le nez court, la moustache
hérissée sur la lèvre de biais, que relève une dent qui
chevauche : l'air d'un sanglier déguisé en ours. Je
ne l'avais encore jamais vu. Il me saisit par les
épaules, avec un geste d'ogre affectueux, s'exclama sur
la joie de me connaître, broya la main du délicat
Saint-Elme dans sa forte patte, s'enquit de savoir si
j'étais prêt, m'assura que nous aurions beau temps, et
qu'il n'y avait pas une minute à perdre.

Sur une interrogation de Saint-Elme, relative aux
événements, le comte Ricolfi éclata de rire. Tout allait
pour le mieux du monde, il ne se passerait rien du
tout; j'étais venu pour chasser chez lui, nous chasse-
rions, et s'il devait y avoir la guerre, la guerre atten-
drait. Ce disant, il avait saisi mon bagage, appelé le
portier, donné des ordres.

« Vous avez votre fusil? Parfait... »

Il avisa mes deux fusils : celui que j'avais loué à
Prague, pour la grosse bête, et dans sa gaine, celui
que j'avais apporté de Paris avec moi, pour le petit

gibier. Il se mit à rire, comme à la vue d'une sarba-
cane.

« Vous n'avez pas besoin de cela, dit-il, je ne vais
pas vous faire tirer des alouettes. D'ailleurs, j'ai tout
ce qu'il faut à Solirov. Laissez donc votre vieille
pétoire à l'hôtel... »

C'est que je ne devais pas revenir à Bratislava, et
je rappelai à Ricolfi qu'après avoir chassé avec lui
dans les Karpathes, je me rendais directement à Olomucz, pour les mouflons de l'archevêque.

« Mais vous ne pouvez pas tirer le mouflon avec
un seize, et vous n'avez pas besoin de vous encom-
brer... »

L'obligeant Saint-Elme intervint. Il rentrait à Prague
le soir même, et se chargeait volontiers de l'arme
inutile. Je laissai donc mon calibre 16 à Saint-Elme,
nous prîmes congé, et nous étant installés conforta-
blement dans sa vaste voiture, le comte Ricolfi et moi,
nous nous mîmes en route et nous enfonçâmes à toute
allure dans la nuit.

Dans la nuit et dans l'aventure. Nous étions sortis
de la ville, et nous roulions par la campagne, vers
une direction inconnue. J'avais l'impression d'être
enlevé. Ricolfi dégage de toute sa personne, de sa
voix sonore, de son rire à tout coup éclatant et prolongé comme un aboiement, une impression de puissance extraordinaire. Ce n'est pas un homme, c'est
un élément. Nemrod devait être quelqu'un dans ce

genre. Cette puissance n'est pas du tout désagréable.
Ricolfi est gai, et sa force communique une sorte de
confiance allègre. Il s'était assuré que je me trouvais
bien, il m'avait jeté sur les jambes une fourrure
épaisse, il avait allumé sa pipe, et m'avait invité à
faire de même. J'étais très bien, loin des problèmes
de ce monde, j'étais emporté je ne savais où, et cet
homme que je ne connaissais pas une heure avant
exerçait sur moi une action attractive absolument
irrésistible, où le prestige de l'autorité, de la sécurité,
de la force, se mêlait et s'agrémentait même d'une
espèce de charme amical, et je dirais presque affectueux. Nous avions retrouvé des amis communs, nous
avons parlé de Paris, de Londres, de Budapest, de
Marrakech. Ricolfi, naturellement, est allé partout;
partout chez lui; le monde semble être son jardin.
Je l'ai remercié beaucoup de la gentillesse qu'il a mise
à m'inviter comme il l'a fait, sans me connaître. Il me
dit qu'il est enchanté de m'avoir, qu'il a en horreur
les chasses officielles, que la chasse est pour lui un
sport individuel, n'ayant de plaisir qu'à traquer le
sanglier, seul, dans ses forêts, devant lui, avec son
garde et ses deux chiens, ou à se promener le fusil
au bras, avec un ami. On lui a dit que j'étais Français et que j'aimais la chasse, moi aussi; ces deux
conditions suffisaient, il me tenait par avance pour
un homme très recommandable, et il était persuadé
que nous nous entendrions. Il s'arrêta, je devinai

dans l'obscurité qu'il tournait la tête vers moi, et avec une feinte sévérité :

« J'espère toutefois, me dit-il, que vous n'avez pas mal à l'estomac, et que vous ferez honneur à mon tokay. »

Je le rassurai en lui promettant que j'en boirai avec plaisir. Sur quoi, il s'esclaffa, et m'assena sur le genou un coup de poing à m'épancher la synovie. Nous étions amis.

« Maintenant, voilà, fit-il. Il faut que je vous dise le programme. Je suis revenu tantôt de Bucarest en avion, tout exprès pour vous mener à Solirov (c'est l'endroit où nous allons chasser), je ne puis rester ce soir avec vous, il faut que je déjeune à Prague demain matin. Je vous rejoindrai dans la soirée à Solirov. Mais n'ayez crainte, tout est arrangé. J'ai envoyé en avant ma cuisinière, qui se chargera de vos repas, vous chasserez tout seul demain avec le garde, vous aurez l'occasion de tirer un cerf ou deux. Le garde sera à vos ordres. Il connaît très bien son métier, j'espère que vous vous amuserez. Je viendrai donc dîner demain soir avec vous, et le lendemain nous essaierons de tirer quelque mouflon, si vous n'avez pas peur de faire un peu de footing en montagne. Avez-vous jamais tiré le mouflon? »

J'avouai au comte Ricolfi que cet animal n'abonde pas dans nos bosquets de Seine-et-Oise ou de Sologne — et que je n'en avais même jamais vu. Je lui demandai comment c'était fait.

« C'est un animal, me dit-il, qui tient à la fois du buffle, du mouton angora et de la descente de lit, avec des cornes. Il est très sauvage, il vit en hardes. C'est un joli coup de fusil, d'autant qu'on ne tire que les mâles. Je n'en ai pas beaucoup chez moi, j'espère que nous en verrons pourtant quelques-uns. En tout cas, puisque vous allez chez l'archevêque d'Olomucz, vous aurez sûrement l'occasion d'en tuer. On vous les amènera sous le fusil, comme les chevreuils à Rambouillet dans les battues pour ambassadeurs. Ce n'est pas sportif, mais l'archevêque est un bon garçon. »

Nous roulions toujours. Nous roulâmes longtemps. Nous avons traversé des villages blafards, sous des nuages bas; la route s'est mise à monter, et des fûts d'arbres gigantesques filaient, fantomatiques, des deux parts. C'était la grande forêt slovaque, aux pentes des petites Karpathes; et la nuit profonde et cloutée d'étoiles, au-dessus des frondaisons noires. Il commençait à faire froid, la fourrure était bien venue. Nous avions voyagé trois heures. L'auto s'arrêta tout à coup, dans un hameau. Un homme s'approcha, porteur d'une lanterne.

« Ah! dit Ricolfi, voilà mon *jäger*. » (C'était le garde.)

L'homme salua, raidi, au port d'arme. Ricolfi lui jeta quelques mots dans une langue rocailleuse. Le *jäger* monta sur le marchepied; nous repartîmes. Dix

minutes plus tard, nous accédions à une clairière, dans
un val.

« Voilà Solirov », dit le comte.

La voiture s'était arrêtée devant une maison de
bois, assez vaste, et qui éclairée à plein par la lune
qui s'était découverte, me parut assez ressembler à
l'auberge du *Balzenden Auerhahn*. Nous entrâmes.
C'était un pavillon de chasse à l'ancienne, tout en
bois, ceint de deux balcons ajourés, le rez-de-chaussée
composé d'une grande salle, garnie de trophées, de
massacres et de panoplies d'armes sur les murs. Un
feu vif crépitait dans une énorme cheminée. Un
souper était préparé sur la table. Le garde descendait
les bagages. Ricolfi me montra ma chambre, où il y
avait des bouquets de fleurs en papier sous des globes,
des portraits de famille 1820 dans des cadres tara-
biscotés, et un mobilier d'acajou plaqué, confortable
et laid, du plus pur style François-Joseph.

« Voyons votre fusil », dit Ricolfi, pendant que,
propre à tout, le *jäger* avec soin débouchait les bouteilles.

« Bien, fit mon hôte après avoir examiné l'arme —
mais je vais vous montrer quelque chose de mieux. »

Il ouvrit une armoire, en sortit un fusil plus fin,
plus léger que le mien, glissa deux balles dans le
chargeur.

« Venez l'essayer », dit Ricolfi en m'entraînant vers
le balcon.

La lune baignait la clairière, un cirque de prairies autour du chalet. Au-delà s'étendait la forêt, haute et profonde masse d'ombre. Le silence était solennel, dans la nuit glacée, pleine de la robuste odeur des bois et des herbes mouillées. Le *jäger* s'était glissé auprès de nous sur le balcon. Il portait à la main une torche électrique, dont il dirigea le faisceau puissant vers la forêt. Un arbre dénudé apparut dans la projection.

« La première branche, au-dessus de la fourche, à droite », annonça le comte.

Il avait épaulé, visé; il tira. Une flamme blanche jaillit du fusil, et la nuit fut ébranlée du coup de feu, répercuté de vague en vague par les échos de la montagne. La petite branche avait volé.

« A vous », dit Ricolfi en me passant l'arme.

Je tirai à mon tour, un peu en dessous. La double détente était extrêmement douce. Il y eut encore dans le bois un puissant remous, un grondement sonore, longuement propagé dans les profondeurs. C'était très *Freischütz* et « fonte des balles ».

« Parfait, approuva le comte. Et maintenant, allons souper. »

Mais il ne bougeait pas de place, les deux mains sur le balcon de bois, contemplant le cirque des bois noirs autour de lui, l'opposition de la prairie lunaire et des ombres massives dans leur majestueuse épaisseur, sous le silence reformé. Alors, tourné vers la

forêt, il fit entendre à toute voix un immense et profond appel, — le bramement du cerf, que termine un
cri caqueté. Puis :

« Ecoutez... », murmura-t-il, l'index tendu, l'oreille
au vent.

Un cerf lointain répondit, du cœur de la futaie,
puis un autre... Nous rentrâmes dans le pavillon.
Rouge de plaisir et cinglé de froid, le visage du comte
Ricolfi exprimait un vif contentement..

« Quel dommage que je ne puisse rester ce soir
avec vous!... J'espère que vous serez bien. »

Nous soupâmes. Je fis connaissance avec le tokay.
Ricolfi put voir que je l'appréciais. Il me fit goûter
différentes sortes d'eau-de-vie, garda pour la fin le
genièvre, distillé sur place par ses soins, avec les baies
de Solirov. Il me désigna le tiroir où je trouverais
les cigares, s'assura que le feu flambait dans ma
chambre, et qu'il y avait une boule dans mon lit. Il
me montra de la main, au-dessus de mon lit, le portrait d'une dame en atours du temps de Charles X,
une forte gaillarde à l'œil noir et au corsage bien
rempli.

« La comtesse Schniezeck, me dit-il : mon arrière-
grand-mère. C'était une luronne. Je crois qu'elle a
été bien avec votre Stendhal. Adieu, à demain soir.
Je vous laisse dormir, vous n'en aurez pas beaucoup
le temps. Le garde vous réveillera à cinq heures. Si
vous voulez avoir un cerf, il faut y aller au petit jour.

Vous êtes chez vous. J'espère que vous n'aurez pas peur. »

Je vis sa haute et puissante stature disparaître au seuil de la chambre, dont elle remplissait la porte tout entière. J'entendis l'escalier de bois craquer sous son pas, puis la porte de l'auto claquer, le moteur ronfler. — Le garde vint un moment plus tard, disposa des bûches dans l'âtre, s'enquit en allemand si je n'avais besoin de rien. Il viendrait m'éveiller à cinq heures. — Sur quoi, il se jeta au garde à vous, salua, et me dit :

« Bonne nuit, honoré monsieur. Vous n'aurez pas peur? »

De quoi craignent-ils, pourquoi veulent-ils que j'aie peur? — J'entendis quelques bruits encore dans la maison de bois, sonore comme un violon. Puis tout se tut.

Avant de me glisser dans les draps chauds — un bon lit français, quelle chance! — je donnai un coup d'œil sur la fenêtre, sur la prairie blanche, la futaie noire. Je vis une ombre qui traversait la route, une lanterne à la main. C'était le garde. — Pourquoi voulaient-ils donc que j'aie peur? — Le silence était admirable. Il faisait bon dans cette chambre. — Où était-ce donc, dans le vaste monde, cette maison perdue, et ces bois?... Je donnai un regard distrait à la dame amie de Stendhal... Encore une inconnue de Stendhal, que Martineau lui-même ne soupçonnait pas. Il fau-

dra la lui signaler. Là-dessus, je soufflai la lumière
— une vieille lampe à huile d'autrefois — et je m'en-
dormis comme un enfant. Je n'ai jamais si bien dormi
de ma vie.

Le *jäger* est venu m'éveiller avant le jour. Il m'a
apporté de l'eau chaude, qui sentait la fumée de bois,
ô mon enfance retrouvée! et une tasse de thé avec une
rôtie; m'avisant que le déjeuner m'attendait en bas,
dans la salle. C'est le château de la Belle et de la Bête;
je descends, je trouve, en effet, la table servie. Bouillon
au snödels, volaille froide, jambon, omelette à la
confiture, fruits, une bouteille de Château-Margaux,
une bouteille de vin blanc slovaque, et le tokay. Je
n'ai aucune faim, à cette heure. La cuisinière est venue
s'enquérir, consternée à l'idée que sa cuisine ne me
plaît point, pourquoi le monsieur français ne veut pas
manger? Le *jäger* aussi m'a encouragé à prendre des
forces. Nous avons beaucoup à marcher. Il y a un
cerf qui m'attend.

Nous sommes sortis, la nuit n'était pas dissipée
encore, et j'ai vu se lever le jour. — Le jour se levait
pour moi seul, au milieu de ces bois profonds. C'était
d'une grandeur religieuse, cette lenteur de clarté montant, d'abord diffuse, paraissant à travers les arbres,
ces brumes dans les creux, qui s'effilochaient des fougères, cette couleur peu à peu sortant des grisailles,
et s'intensifiant jusqu'à retenir tout à coup comme

une fanfare, au premier rayon du soleil. Comme on
est jeune, le matin, les pieds sur la terre! La rosée
humectait les prés, des gouttelettes scintillaient aux
pointes des herbes et des branches basses. Les verts
étaient d'émeraude liquide, les fougères sèches, déjà
rousses. Nous étions en pleine montagne, nous suivions
des vallons, contournions en lacet des pentes. Le ciel
riait de ce doux bleu d'octobre, léger, pur et tendre;
les bois, d'une majesté paisible, distillaient leur odeur
de baume. Nous allions, le *jäger* et moi, lui me montrant la marche, moi suivant, sur le sol tapissé de
feuilles et d'aiguilles sèches. Il y eut la forêt de chênes,
d'un jaune d'or — le premier décor de *Pelléas*, où
Golaud trouve Mélisande, une vraie forêt pour Mélisande ou Pécopin. Il y eut la forêt de hêtres, au feuillage rouge, dans une gloire sanglante, empourprée,
il y eut, comme une cathédrale, la forêt verte et bleue
des pins, aux longs fûts comme des piliers, dans une
lueur glauque d'aquarium...

Le *jäger* allait, portant mon fusil, regardant le sol,
jetant d'un instant à l'autre un coup d'œil rapide
dans une clairière, au fond d'une sente. Parfois, il
s'arrêtait, me faisait signe, un doigt sur la bouche, et
me montrait une trace fraîche de bête sur la terre,
pied ou fumée : biche, renard, sanglier, chevreuil... —
Parfois, un lièvre détalait, une bécasse s'envolait d'un
fond, en froufroutant... L'homme suivait la bête ou
l'oiseau, du regard, tout heureux soudain. Puis je l'ai

vu s'arrêter pile, immobile, la main tendue. Nous gra-
vissions une pente escarpée, qui dominait un creux
d'herbages, où paissait un troupeau de biches. Un
caillou roula : les bêtes apeurées s'enfuirent. Le *jäger*
dit :

« Nous les retrouverons de l'autre côté, dans les
prairies. Elles ont peur, mais elles ne vont pas loin.
Nous allons faire le tour de cette crête, par sous-bois.
De là, nous approcherons, vous pourrez tirer. »

Je suis très chasseur, mais je n'aime pas tirer les
biches — il ne faudra pas l'avouer à Ricolfi; et son
jäger va me mépriser, si je lui dis que je n'aime pas
tirer les biches. — Cet homme est bien, dans ses vêtements de cuir vert; mince, maigre, musclé, le visage
énergique et droit, marchant d'un pas souple, sans
bruit. Nous parlons, à voix basse. Il s'appelle Jan; il
est Slovaque, et porte une cicatrice profonde, du menton à l'oreille, en travers de la joue. Je l'interroge :

« Blessé à la guerre?

— Oui, un coup de sabre de Cosaque, du côté de
Przemysl. »

Il rit :

« Le cosaque, dzinn! »

Il fait le geste d'épauler, et puis des deux mains,
mime la culbute d'un cavalier tiré à bout portant. Il
me raconte la guerre qu'il a faite, sur le front russe,
dans une formation autrichienne. A la fin, prisonnier,
il s'est évadé, il a rejoint la fameuse division tchèque

des volontaires de Diterichs; il a fait partie de l'extraordinaire équipée, à travers les lignes bolcheviques, de
cette petite armée de braves, perdue dans les steppes,
de la Sibérie à Archangel, ballottée des Allemands
aux Russes, aux Japonais, traquée, suspecte, pour-
suivie, gardant intacts jusqu'à l'armistice, entre tant
d'ennemis divers, ses drapeaux, ses canons, ses armes;
et dont les survivants, aujourd'hui, sous le béret de
nos Alpins, fournissent la garde d'honneur qui veille
aux portes du Hradschin.

Nous arrivons à une clairière encore, au bord d'un
pré. Jan s'efface, la main battant l'air en signe de
silence. A soixante pas, un chevreuil superbe, immobile et comme empaillé, de profil. Jan me passe lentement le fusil. Je le prends, mais n'épaule pas. Je
fais *non*, de la tête. — Je n'ai pas envie de tuer ce
chevreuil. Nous sommes sous le vent; il ne nous a pas
vus, pas entendus; mais sans doute il a pressenti un
danger, et reste en suspens, une patte à demi levée...
Mon pied heurte une souche. Un bond, le chevreuil
a disparu. Je regarde Jan qui sourit. Il a compris et
hoche la tête :

« *Ja, zu schön,* dit-il... trop joli. »

Brave Jan, tendre à son gibier! Au fond, il n'y a
que les vrais chasseurs pour aimer les bêtes. Celui-ci
n'en a qu'aux bêtes noires, sangliers et loups. Mais il
a reçu de son maître la consigne de me faire tirer un
cerf, un vieux dix cors à fin d'âge, malin, difficile à

surprendre, et qu'il s'agit pour nous de rencontrer.
Voilà du sport. Le problème est simple : moi, cinq
mille hectares de petites Karpathes autour de moi;
et dans ces Karpathes, un cerf de vingt ans. L'affaire
est de nous trouver face à face, la bête dans le champ
de mon fusil. Voudra-t-elle m'attendre? L'admirable
est que Jan, obstiné et sûr de lui-même, m'affirme
que nous la trouverons. Le fait est que je l'ai vue,
deux fois, hors de portée et bondissant; elle dans un
creux, moi sur un pic; puis, elle sur un pic, et moi
dans le creux. Dire que je déteste la montagne, où l'on
ne monte que pour redescendre! Nous avons passé la
matinée à ce footing, dans le plus beau décor du
monde. Tels sont les plaisirs de la *Hohe Jagd* : la
chasse haute, bien nommée; mais j'aime mieux les
perdreaux en Beauce, où vingt kilomètres ne me font
pas peur, c'est à plat.

Vers midi, nous nous sommes arrêtés dans une
hutte, où nous attendait un paysan. Il avait allumé un
feu et porté quelques victuailles, tout cela était bien
compris. Repas fait, repos pris, sur deux bottes de
paille et une brassée de fougères, où l'homme a jeté
son manteau, nous avons recommencé notre quête. A
quatre heures, le jour commençant à décroître, j'ai
tué le cerf, d'une balle, à cent mètres. — Pauvre cerf,
qui ne m'avait rien fait! Mais je n'étais venu que
pour cela. — L'animal avait apparu, entre deux
roches, puissant, large et beau sous ses bois, dédai-

gneux de notre poursuite. Il a basculé dans un ravin
profond; et le voyant tomber, Jan a bondi, dégrin-
golant entre les roches, comme un chat. Il est revenu,
dix minutes plus tard, tenant dans une main deux
dents jaunâtres de la bête, et dans l'autre un petit
rameau de feuilles de chênes trempés dans le sang,
qu'il a fixé à mon chapeau, en signe de victoire. Puis
il s'est mis au garde à vous, m'a fait un salut militaire. Après quoi, il a ri, content de mon adresse. Il
n'aime pas qu'on manque le gibier, ou qu'on le blesse,
pour qu'il aille trépasser ailleurs, sur la chasse voisine,
par exemple. — Je ne suis pas très fier de mon coup de
fusil : autant avoir fait mouche dans un cheval —
mais l'honneur est sauf. — Le garde ira, cette nuit,
avec un aide, chercher l'animal; et demain j'aurai le
trophée.

Il a fallu marcher deux heures encore, avant de
regagner Solirov. J'y arrivai assez fourbu. Ricolfi était
de retour et nous attendait, jovial et dispos, accablant
de bonne humeur, de santé, de force. Son tonique
aidant, m'étant laissé choir dans un profond fauteuil,
j'étais complètement retapé en cinq minutes : d'autant que le comte avait fait sauter le bouchon d'un
flacon de tokay 1848, souverain, me dit-il, (c'était vrai)
pour remettre d'aplomb un honnête homme fatigué
par douze heures de chasse. Le *jäger* mit son maître
au courant de ma prouesse, et je reçus de grands
compliments pour le cerf. Nous avions une heure

avant le dîner, nous nous mîmes à deviser de toutes choses, comme si nous avions été amis, depuis toujours. La conversation ne chôme pas avec l'énorme Ricolfi, dont la faconde correspond à son large coffre, à sa taille, qui a une mémoire d'almanach, que tout amuse et qui, d'une idée à l'autre, d'un bibelot à une estampe, d'une bûche qui roule à un tiroir qu'il ouvre, de la bibliothèque au râtelier d'armes, ne peut rester en place et en repos trois minutes... Cette maison, d'ailleurs, est vraiment plaisante, riche en souvenirs de toutes sortes. Il me fallut admirer vingt trophées accrochés aux murs, des photographies de tous les souverains d'Europe depuis quarante ans, Ricolfi le pied sur un tigre au Bengale, ou faisant un doublé de grouses en Ecosse, ou présentant le chef d'un buffle du Tanganyika, soulevé dans ses mains puissantes. Il me montra des fusils de tous les calibres, des dagues à servir le cerf, des épieux pour l'ours, des trompes d'un modèle spécial, tout exprès construites pour lui, car il n'en trouve pas de toutes faites à sa taille. Il en emboucha une, et fit retentir le salon de ses fanfares, dont le cristal des lustres fut ébranlé. Il rit ensuite, et son rire ne faisait pas moins de bruit que le cor. D'autres bouteilles de tokay furent débouchées. Ricolfi trouvait que je ne buvais point, et il me donna l'exemple. Puis il m'ouvrit sa bibliothèque, où je vis de belles reliures, et même aussi, ma foi, d'assez bons textes.

« Vous êtes bibliophile aussi? » m'exclamai-je.

Il ouvrit largement les bras, et d'une voix de stentor :

« Je suis tout! »

Mais ses plus beaux livres étaient à Prague, où il me les montrerait à l'occasion.

« Et vos collections particulières en même temps », crus-je pouvoir me permettre d'insinuer, me rappelant le propos de M. Chouanet à cet égard.

« Ah! ah! fit le comte Ricolfi, égayé par cette invite détournée, vous savez? Cela vous intéresse? »

Parbleu!... Là-dessus, l'idée me vint de Casanova, à qui le comte Ricolfi ressemble, sinon de visage, du moins par la verve et l'encolure. Et je lui racontai que j'avais déniché, à Prague, l'édition originale de *Ma Fuite des Plombs*. Je le vis aussitôt tiquer.

« Oh! fit-il, c'est rare. Et vous avez trouvé cela à Prague? Compliments... »

J'aimais déjà beaucoup ce Ricolfi. De le savoir casanoviste me le rendit plus aimable encore. Il possédait toutes les éditions des *Mémoires,* et il me parla d'un entretien qu'il avait eu, jadis, à Venise, avec Henri de Régnier, sur l'épisode de Bernis et de la belle M. M... Je lui dis ma visite à Dux, et mes conjectures sur le manuscrit de l'aventurier, et l'idée qui m'était venue que ce manuscrit pouvait se retrouver peut-être. Je lui fis part de ma conviction, sur la prétention des Brockhaus, sur la piste que semblait ouvrir

la découverte des deux chapitres inédits des archives
de Dux, je lui racontai ma déconvenue de Slavkov,
la poursuite dont j'étais l'objet du fait de Swervagius, le séjour de M. Bernhard Marr à Vienne.

Ricolfi dodelinait de la tête en m'écoutant. Il faisait tourner dans son verre, en le considérant avec
soin, une nouvelle rasade de tokay, qui semblait d'or
rose dans le cristal. Il souriait d'un air féroce et réjoui,
en m'écoutant, et sa dent chevauchant retroussait sa
lèvre comme une babine. Et tandis que je parlais, il
semblait approuver, en hochant la tête, ou me regardait en dessous. Puis il s'arrêta, tout soudain, avala
d'un trait le contenu rose de son verre, le posa ensuite
avec précision sur un guéridon. Il me regarda, et il
dit :

« Mon cher ami, le manuscrit original des *Mémoires* de Casanova n'est pas chez MM. Brockhaus,
à Leipzig. Il n'est pas à Dux. Il n'est pas non plus à
Hirschfelde. Votre ami M. Swervagius en sera pour
ses promenades à vos trousses, comme M. Bernhard
Marr pour ses prospections à Vienne. Et puisque
c'était vous, laissez-moi vous dire avec tout le regret
que m'inspire la sympathie que j'ai pour vous, que
vous êtes arrivé cinq minutes trop tard à Slavkov.
Car le manuscrit des *Mémoires* de Casanova... »

Il se tut un instant, étendit la main, d'un geste
large et l'index pointé vers une armoire qui bombait
juste en face de moi ses lourds panneaux d'acajou

plein, et il prononça ces mots pour moi stupéfiants :
« Il est là! »

Et avant que j'eusse pu m'écrier : « Non? » — il
ajouta :

« Voilà dix ans que je le cherchais! Un coup de
veine extraordinaire! Ces quatorze volumes en manuscrit original des *Mémoires,* pour cent couronnes, oui
monsieur! »

Il tendit de nouveau l'index vers la prodigieuse
armoire.

« Il y a trois jours qu'ils sont là. »

A ce moment précis, la porte du salon s'ouvrit. Une
femme parut.

« La comtesse », me dit Ricolfi.

La stupeur, de nouveau, me coupa le souffle.

C'était Dorothée.

Elle eut, elle aussi, un mouvement marqué de surprise, aussitôt contenu. Elle ne s'attendait sûrement
pas à me voir là. Elle savait que son mari recevait à
Solirov un hôte français, mais elle ne pouvait se douter que ce serait moi. Elle hésita un bref instant,
pendant que Ricolfi se levait, et je la vis, comme elle
passait derrière lui, me faire rapidement le signe d'un
doigt sur les lèvres, qui recommande le silence.

Je fus présenté; je m'inclinai pour lui baiser la
main. Je sentis une légère pression sur la mienne.
Nous échangeâmes aussitôt les propos vagues d'une
connaissance nouvelle. Le *jäger* vint annoncer que le

dîner était servi. Nous passâmes à table, et la diversion aida au rétablissement. Ricolfi exultait de joie à la pensée de la stupeur que j'avais témoignée en apprenant que les *Mémoires* étaient en sa possession, et il crut devoir en faire part à la comtesse.

« Elle est bien bonne! Chère amie, figurez-vous que monsieur, que voilà, était lui aussi sur la piste, et que c'était lui l'amateur qu'attendait le vieux brocanteur de Slavkov! C'est ce qui s'appelle gagner de vitesse! »

Il me versait à boire, en disant cela. La comtesse Ricolfi eut un léger haussement de sourcil et l'air d'un parfait étonnement, en apprenant cette nouvelle. Le haussement de sourcil semblait signifier à la fois : « Ce n'est pas possible! » — et : « Pauvre monsieur! » Je haussai aussi le sourcil, d'un air d'acquiescer en beau joueur à ma disgrâce.

« N'ayez aucun scrupule, mon cher comte, ajoutai-je. Ce n'est pas à moi, en réalité, que vous avez soufflé ce précieux volume, mais à un pauvre libraire de Prague, ce qui est assurément très triste pour lui. Ou peut-être encore à M. Swervagius, dont je vous ai parlé. Auquel cas, je suis enchanté... Je n'étais là qu'en amateur. J'espère bien toutefois que vous me laisserez voir, et même toucher votre merveille?

— Naturellement, dit le comte. Je vous ai déjà dit que vous étiez ici chez vous. »

La comtesse m'examinait à la dérobée. J'avais retrouvé mon air le plus naturel, le plus désinvolte.

Elle en parut tout à fait rassurée, et devint très gaie,
très aimable. Je la sentais presque s'appuyer sur moi,
moralement, et trois ou quatre allusions qu'elle fit,
qui n'étaient perceptibles que pour moi, sur les truites
au bleu des environs de Marienbad, l'intérêt des
églises baroques, les dancings pragois, les auberges de
village et la bataille d'Austerlitz, m'avertirent impli-
citement qu'elle avait confiance en ma discrétion, que
nous avions ensemble nos secrets, et que la conversation commencée entre nous dans d'autres circonstances pourrait se poursuivre. Bref, j'étais traité en
complice, et c'était charmant. — J'avais compris
qu'elle n'avait rien dit à son mari de notre entretien
de Slavkov, pendant qu'il raflait ses papiers casano-
viens chez le brocanteur. L'idée me vint qu'en lui
laissant ignorer la part qu'elle y avait prise en me
retenant dans la vinarna, elle avait délicatement voulu
lui attribuer le seul mérite de son succès. C'était une
personne très maîtresse d'elle-même, et d'une distinc-
tion un peu concertée, où l'air absent avait sa part.
Mais à certains regards furtifs, tôt détournés, je vis
bien qu'elle était un peu à double fond, si je puis
dire. Et le propos de M. Chouanet me revint à point
à l'esprit, pour mieux comprendre : « Ricolfi a épousé
une star. » Ce mot de star éclairait tout : les dix-huit
mallettes, l'indépendance, une vie double, cette apparence de mystère et de secret, ce visage fait, cette voix
faite, tout ce que je ne sais quoi d'un peu artificiel

qu'il y avait en elle, cette espèce de masque, capable
par moments de tomber, de laisser apercevoir la vraie
femme, comme à ce déjeuner du *Balzenden*... Et la
regardant, d'un air de respectueuse admiration, je
pensais ces mots avec force : Nuremberg, *Balzenden*,
Saint-Jacques — et Jeannette aussi (cela malgré moi),
dans le vague espoir d'une télépathie susceptible
d'amener aussi sa pensée à elle sur ces noms, et sur
ces rencontres.

A un mot que me dit Ricolfi, relatif à Casanova,
je feignis même d'éprouver le besoin d'en prendre
note — je tirai mon carnet de ma poche, et mon
crayon. Et ayant noté la référence, je me mis à jouer
machinalement avec ce crayon — celui que j'avais
un instant prêté, dans l'église Saint-Jacques, à Dorothée, alors inconnue. Elle le vit, le reconnut sans
doute, ou perçut mon intention. Je vis un sourire
affleurer ses lèvres. Ce sourire pouvait annoncer d'ailleurs une anecdote. L'anecdote suivit, en effet. Mais à
moi, mon carnet m'avait rappelé aussi ce papier,
ramassé à Saint-Jasques, que j'avais à lui rendre — en
secret, naturellement. — « J'en trouverai bien le
moyen, me disais-je. Il y a des hasards étonnants. »
— Nous avions fini de dîner, et nous revînmes dans
le hall. Ricolfi ouvrit le tiroir aux cigares, la comtesse
m'offrit du genièvre ou du barak palinka.

« Je vous recommande le barak, dit Ricolfi. Il est
bon.

— J'aime beaucoup le barak.

— Et l'on dit que les Français ne savent pas voyager! » s'exclama gaiement Dorothée.

Mais le comte Ricolfi avait ouvert la fameuse armoire — « Il est là! » — où reposaient les écritures du chevalier de Seingalt. Il fallut bien s'y intéresser, et quoique j'eusse de beaucoup préféré que mon hôte eût quelque ordre à donner pour le lendemain et me laissât deux minutes seul avec sa femme, je m'intéressai donc à ce manuscrit, qui quatre jours auparavant m'eût fait courir au bout du monde, et qui pour le moment...

Je note seulement que l'examen rapide de ce manuscrit, auquel je ne pus me livrer que d'une manière très superficielle, suffit à m'assurer que c'étaient bien là les fameux *Mémoires* dans leur brouillon original, surchargés de corrections et de repentirs, écrit d'une grosse graphie cursive et bousculée, attestant le feu du conteur en ses remembrances pressées qui lui venaient plus vite, en foisonnant à son esprit, que la main ne pouvait les suivre à les transcrire, et que mes conjectures étaient justes sur le style de l'aventurier et le français parlé où il s'exprimait, en Italien volubile et quelquefois embarrassé. L'hypothèse que j'avais proposée au libraire sur le quinzième volume qui manquait apparaissait également fondée. Ricolfi n'avait que quatorze volumes, sur les quinze, et celui qui manquait correspondait à ces deux chapitres

retrouvés à Dux, distraits de l'ensemble. Je fis part
de cette observation à Ricolfi. Elle sembla le frapper.
Il me promit de s'assurer lui-même aux archives de
Dux, c'est-à-dire aux anciennes archives de Dux, présentement à Hirschfelde, de l'identité d'écriture et
de papier des deux chapitres en question, et de son
manuscrit. Mais je me moquais bien de Casanova, à
cette heure, et il m'arriva plus d'une fois de lever
les yeux de son grimoire pour examiner à la dérobée
la mystérieuse Dorothée, que j'apercevais de profil,
son beau visage en découpe sur les flammes mou-
vante de l'âtre, et qui lisait *Le Figaro*... « C'est bien
ça, la vie, me disais-je. Il n'y a de femmes que pour
Casanova... En voilà une qui m'intéresse vivement, et
l'on dirait que ce vieux drôle, cent quarante ans après
sa mort, m'accroche encore par le bouton en me
racontant ses histoires, à seule fin de me tenir loin
d'elle... » — Si bien que je ne pus me défendre d'un
bâillement.

« Vous avez sommeil, dit le comte en fermant le
volume sur lequel nous étions penchés : c'est juste.
Et nous chassons demain. Je vous ai promis les mouflons. Il faut être debout à cinq heures. »

Dorothée s'était levée aussi. Elle repliait son journal et me l'offrit.

« Des nouvelles de Paris, fit-elle. Il y a un très joli
article de Guermantes.

— Je pense, chère amie, dit le comte Ricolfi en

s'adressant à sa femme, que vous n'avez pas très envie de courir après le mouflon... »

Elle se mit à rire à belles dents, comme dans un film; secoua la tête, la pencha un peu de côté, et me tendit la main, le bras long.

« Bonsoir. J'espère que vous avez tout ce qu'il vous faut... Je ne vous verrai peut-être pas avant votre départ, mais nous nous retrouverons pour le déjeuner... »

Elle se tourna vers son mari.

« Vous rentrez déjeuner, n'est-ce pas, Dany?

— Sûrement, dit-il; nous en aurons bien assez en chassant de cinq heures à midi... »

Me voilà dans ma chambre — furieux, sans aucune envie de dormir. Le comte et la comtesse se sont retirés. Le puissant Ricolfi tenait sa femme, le bras passé autour de son cou. Comme elle était mince, auprès de lui! Omphale dans les bras d'Hercule. Cette image n'est pas agréable. — Il me semble que la bonne amie de Stendhal, dans son cadre, me regarde avec un drôle de sourire. — Je me couche, et ne trouve pas le sommeil.

J'ai parcouru *Le Figaro*, vieux de trois jours. C'est curieux comme il y a peu de choses à lire trois jours après l'événement, dans un vieux journal. L'article de Guermantes est charmant, c'est vrai. — Pourtant, cette poussière, cette cendre, que font des nouvelles

qui ont cessé de l'être!... — Il faut absolument que
je trouve le moyen de parler à Dorothée. Lui écrire
un mot? — Mais quoi! je ne la verrài qu'au retour
de la chasse... Ce Ricolfi est assommant avec ses mouflons!... C'est bien vrai, qu'il ressemble à Casanova.
Cela non plus n'est pas agréable. — Dormir à côté
d'une chambre où Casanova... Ah! et le poète du
Balzenden, qui faisait pleurer Dorothée!... Casanova,
non, Ricolfi serait... J'avoue qu'en dépit de l'hospi-
talité charmante que je reçois à Solirov, cette idée
m'égaie. Dirai-je même qu'elle me console? Il n'y
aurait pourtant pas de quoi, si Dorothée, si Jeannette... Car enfin, si Jeannette il y a, elle a bien perdu
la mémoire, ou il se peut que j'aie moi-même beaucoup changé, depuis 1917 et Dijon. Problème de psychologie générale : est-ce qu'une femme, en vingt
ans, ne ferait pas tout à fait peau neuve, au point
de ne rien garder d'elle-même et de ses souvenirs, si
elle a décidé qu'elle n'a plus absolument rien de
commun avec celle qu'elle a été un jour, fût-ce la
veille ou il y a un mois — à plus forte raison il y a
vingt ans? Ne rien garder de son passé, comme on ne
garde pas ses vieilles robes, après tout, c'est le secret
de la jeunesse éternelle. Se retrouver une autre, tous
les jours, le râteau soigneusement passé et repassé sur
les pas d'hier... Mais changent-elles, peuvent-elles
changer, physiquement, jusqu'à ne plus du tout se
ressembler?

Je ne dormirai pas de longtemps. J'allume une bougie, reprend la lecture du *Figaro*. « Le maquilleur d'Hollywood est mort... » C'était, paraît-il, en son genre, un artiste, un prodigieux modeleur de visages. « Une fille qui a passé par mes mains, sa propre mère ne la reconnaîtrait pas », disait-il. — Tiens! Tiens! Ricolfi a épousé une star. La comtesse Ricolfi est une star... Mais je n'ai jamais vu ce nom-là, à l'écran. Ce signe qu'elle m'a fait, le doigt sur la bouche, pour me recommander de me taire... Est-ce qu'elle croyait, par hasard, que j'allais lui rappeler, devant son mari, que je l'ai vue dans les bras d'un individu brun, à Nuremberg, embrasser à la gare de l'Est un blond sur la bouche — et au *Balzenden*... Une seule femme, et tant de vies possibles se superposant... Star peut-être fameuse à Hollywood — comtesse Ricolfi en Bohême — quoi à Nuremberg, à Paris? Quelle encore près de Marienbad? Cette diversité d'existences. — Et Dijon, il y a vingt ans?...

Ma chandelle est morte. Ricolfi ronfle puissamment dans la chambre voisine. Après tout, suis-je bien sûr qu'il couche dans la même chambre que sa femme? Tout est à portée de la main, Casanova dans l'armoire, Dorothée derrière la cloison. Il n'y aurait qu'un tout petit effort à faire, mais j'ai l'impression d'être cloué dans ce lit si doux, qui enfonce... Ces marches, ces contremarches en montagne m'ont tué. J'ai tué un cerf... « Le Cosaque, dzinn! » Si la porte allait s'entrouvrir, et si Dorothée, les pieds nus, un doigt sur la bouche... Je dormais d'un sommeil de plomb. Je me suis réveillé brusquement, avec le sentiment obscur d'une présence auprès de moi.

« Monsieur, il est cinq heures moins le quart... »

C'était le *jäger*. Ah! oui, les mouflons...

Ricolfi m'attendait, fin prêt, dans le hall, équipé de cuir, le couteau ceint, la moustache rude, la dent sortie, l'air d'un boucher. Le café fumait sur la table. Dehors, la nuit régnait encore, dans le froid, le vent, la rosée. Le garde marchait devant nous. Nous avons recommencé nos escalades. Le comte est un rude entraîneur. Ce cent-garde a une jambe de chasseur alpin. Il fallait le suivre, de gorge en piton, de crête en val. Je soufflais. Je comprends que saint Hubert se soit converti et ait cessé d'aimer la chasse. Mais nous n'avons pas rencontré, dans ces forêts, l'Hirco-cerf aux bois surmontés de la croix flamboyante. Nous n'avons levé que des lièvres, des faisans, des bécasses, et même, ô miracle! un coq de bruyère superbe, et je n'avais qu'un fusil à balle, qui ne convient pas à ces gibiers, voilà bien ma veine! De temps en temps, Ricolfi, à vingt pas du garde et de moi, se retournait, pour nous attendre, goguenard, le poil hérissé. Nous avons bien marché quatre heures de la sorte, et j'ai tout de même, enfin, vu les mouflons : de très loin, à plus de cinq cents mètres. Ils broutaient dans une prairie. C'est Ricolfi qui me les a fait voir, avec ses

jumelles : une douzaine de moutons bossus, qui broutaient. Le garde m'a vivement passé le fusil. J'épau-
lais.

« Surtout ne tirez pas les chèvres, me dit Ricolfi :
visez le mâle. »

Sa parole a provoqué l'écho dans la montagne, les
mouflons se sont envolés, avant que j'aie pu distinguer le mâle. — Nous nous restaurâmes à la hutte.
L'automobile nous attendait non loin de là — excellente idée, — pour nous ramener en une heure à
Solirov. J'y arrivai charmé par la pensée que j'allais
revoir Dorothée, avec l'intention formelle de lui dire...
et j'avais, dans ma hâte, laissant Ricolfi donner des
ordres, derrière moi, couru vers le hall, dans l'intention de la surprendre. Le hall était vide. Ricolfi parut
aussitôt. Il tenait une lettre à la main.

« La comtesse s'excuse beaucoup, dit-il. Elle a reçu
un coup de téléphone de son impresario en Amérique,
de passage pour un jour à Prague, où elle doit le
rencontrer ce soir. Elle est repartie avec l'avion... Un
coup de tokay? »

Il m'a fallu revoir les dagues, les fusils, écouter
l'histoire du trépas de l'ours, du loup, du lynx em-
paillés dans le hall, entendre encore le cor de chasse,
et feuilleter la collection de photographies assez
intimes que Chouanet m'avait annoncée. Je n'y
pris à vrai dire qu'un intérêt poli, cela ne vaut rien
dans la solitude, et Solirov était très vide. Quant aux

manuscrits des *Mémoires*, Ricolfi les fera venir à Prague où j'aurai le loisir de les consulter. Nous déjeunâmes en tête-à-tête, puis j'allai boucler mes valises, en vue de mon prochain départ. Ricolfi me pose ce soir en voiture à Javorina, où je coucherai, et d'où je repartirai demain pour Olomucz et la fameuse battue chez l'archevêque.

Mais auparavant, j'ai fait, en buvant un dernier verre de tokay, une découverte singulière, qui m'a laissé des plus perplexes. C'était, dans un coin du hall, tapissé de photographies, une petite vue encadrée, qui figurait un monument de style classique français, au fronton duquel on pouvait lire : Faculté de droit. Ricolfi me vit intrigué.

« C'est l'école de droit de Dijon. J'y ai fait mes études après la guerre. Je ne m'y suis pas trop embêté. »

Le comte Ricolfi a fait des études de droit à Dijon? Mais alors, Dorothée, Jeannette?...

XIII

ET LES MOUFLONS
DE L'ARCHEVEQUE D'OLOMUCZ

« Le comte Ricolfi m'a déposé à Javorina, petite
ville où passe le train. J'y dîne et j'y couche ce soir;
je prendrai, demain matin à sept heures, le train qui
me mettra à dix à Olomucz, où je retrouverai Saint-
Elme et les invités de l'archevêque. Des autos nous
prendront à la gare pour nous mener chasser à
soixante kilomètres de là. — J'ai fait, provisoirement,
mes adieux à Ricolfi qui retourne coucher à Solirov
et que je dois d'ailleurs retrouver à Prague. Je tiens
plus que jamais à le retrouver... et Dorothée, naturellement. Pour le moment, me voilà seul, ravi d'une
soirée de silence et de solitude. Et je note ceci sur mon
carnet, après le résumé des deux précédentes journées,
dans la petite auberge où je viens de prendre un repas
léger, composé de knödels et d'un « plat de variété »

qui mérite la description. Les knödels, d'abord, ce
sont de grosses boules de gruau, parsemés de pignes
de pin, qui rendent encore plus substantiel le succu-
lent bouillon de queue de bœuf où elles ont cuit.
Le plat de variété se présente sous la forme d'une
pyramide de quinze centimètres de hauteur, consti-
tuée d'une stratification de diverses viandes qui super-
pose sur un bifteck une tranche de porc, chevauchée
d'un hachis de chevreuil couronné d'un cornet de foie
gras, lequel est surmonté d'un œuf dur, lui-même
coiffé d'un radis; le tout flottant dans une barque
de choucroute, de raifort et de salade verte, sur une
mer de confiture de groseille. Notre déjeuner était
loin, j'avais faim; j'ai trouvé très bons ce mélange et
cette variété. Et je fume, avant que d'aller me coucher, une dernière pipe, en réfléchissant à mes aventures... »

Voilà ce que je relis dans mon carnet. — Suit une
page blanche. — J'avais mis le carnet dans ma poche,
réglé l'addition, je m'étais levé, je sortais. Un homme
qui buvait debout au bar de la vivarna, devant la
porte, s'effaça pour me laisser passer, sortit aussitôt
derrière moi dans le couloir, donna un coup de sifflet :
deux messieurs moustachus parurent aussitôt, qui
m'encadrèrent de très près, je fus poussé dans le corridor sans comprendre ce qui m'arrivait, enfourné
dans une voiture avant d'avoir pu faire un geste ou
prononcer un mot. Un de ces messieurs me dit sim-

plement : *Polizei*. Et je commençais à protester quand
mes trois compagnons élevèrent la voix, sans douceur,
dans une langue que je n'entendais pas. Le voyage
d'ailleurs ne fut pas très long. La voiture s'arrêta
devant une porte éclairée, que gardait un sergent de
ville. — « Bien, me dis-je, tout va s'expliquer », car
je croyais déjà être enlevé, et j'étais simplement mené
au commissariat, ce qui en principe est rassurant pour
l'honnête homme qui a la conscience tranquille et le
sentiment absolu de n'avoir commis aucun méfait, du
moins important et récent.

Les commissaires de police ne sont pas pressés,
d'ordinaire. Celui de Javorina n'échappait point à
cette règle. J'étais dans une salle de garde, flanqué
par mes deux surveillants et observé de haut par le
troisième. Aucun d'eux ne parlait français et ne semblait même vouloir entendre l'allemand. Mes protestations ne paraissaient aucunement les émouvoir; et
il me fallut attendre assez longtemps, avant d'être
introduit dans le bureau du commissaire, qui n'était,
à cette heure déjà tardive, remplacé que par un
adjoint. Après avoir cherché un moment quelque
idiome où nous entendre, moi ne parlant point le
tchèque, ni le slovaque; ni lui le français; s'étant
rabattu à contrecœur sur l'allemand, il commença
comme d'usage à me demander mon nom et mes
papiers, et la situation que j'avais jusque-là prise
assez gaiement me parut devenir tout d'un coup assez

délicate, lorsque je me fus aperçu que je n'avais pas
mon passeport, confié l'autre soir à M. Chouanet, pour
le fameux visa de Vienne; lequel Chouanet avait
oublié de me le rendre.

Cela donc débutait assez mal. Il me fallut vider
mes poches, je posai mon carnet bourré de papiers
sur la table. L'adjoint entreprit de l'examiner, avec
une curiosité qu'à tout le moins j'estimai assez inutile,
puisqu'il n'entendait pas le français. Mais sa curiosité
dut être assez vite éclairée, car je le vis sourire tout
à coup, avec la satisfaction évidente d'un homme qui
vient de trouver ce qu'il cherchait. Et il s'approuva
lui-même de la tête, d'un air de conviction établie,
en même temps que je le vis tirer, des papiers qui
gonflaient mon carnet, un feuillet volant, qu'il mit
sur la table, en le juxtaposant à un autre papier, de
même grandeur, à l'instant sorti d'un tiroir. L'examen
de ces deux feuillets l'ayant édifié, l'homme se renversa sur sa chaise, posa la main gauche à plat sur
la page extraite du carnet; et l'ayant retourné, il me
présenta l'autre, de la main droite, en me demandant
si je connaissais cette écriture, et si je pouvais lui
donner quelques explications à ce sujet.

Le papier qu'il me présentait était la photographie
d'un billet manuscrit de trois ou quatre lignes, écrit
en slovaque ou en russe. — Mon air sincèrement
indécis, à cette vue, fit hausser les épaules à l'homme
de police. Il me tendit alors l'autre papier — iden-

tique à la photographie — et je m'exclamai alors, en
reconnaissant dans ce papier le billet que j'avais
ramassé à Saint-Jacques, et qui avait dû tomber,
m'étais-je dit, du sac à main de Dorothée, le jour de
notre rencontre dans l'église. Je reconnaissais le papier,
en effet, et je le dis — tout en assurant mon inquisiteur que cette lettre ne m'appartenait pas, et que
je ne savais même pas lire ce qui était écrit dessus.
Sur quoi l'inquisiteur dut trouver ma dénégation bien
simpliste et bien sotte, à moins que je ne fusse très
fort. Car il se mit à m'en donner la traduction. Le
billet disait ceci : « Entendu, comme d'habitude.
Mais attention. Préférable de ne pas se faire voir
ensemble. » Là-dessus, je ne pus m'empêcher de rire :
c'était un des gigolos de Dorothée qui lui donnait
un rendez-vous... Ou bien Dorothée elle-même qui
avait écrit ce billet. Un détail à l'instant me frappa :
ce billet était écrit sur un feuillet de papier parfaitement semblable à celui de mon carnet, d'où je l'avais
arraché pour l'offrir, avec mon crayon, à la dame
alors inconnue de Saint-Jacques, qui m'avait demandé
mon crayon, et, cela me revenait maintenant, « un
petit bout de papier pour écrire... » Après avoir
griffonné ces lignes, elle a cru glisser le feuillet dans
son sac, il était tombé, je l'avais ramassé... Eh oui,
c'était un billet de sa main, mais cela n'était plaisant,
relativement, que pour moi, et pas à dire à cet enquê-
teur indiscret. Mon rire ne parut point convenable

à sa magistrature. Il frappa du poing sur la table.

« Et ceci? » dit-il, en me désignant, au verso de la feuille, un chiffre écrit en travers, au crayon, où je lus : 393666.

« Ma foi, dis-je, je n'en sais rien du tout...

— Eh bien, moi, reprit-il, je le sais parfaitement. Vous êtes un agent secret, au service d'une nation étrangère, et ce billet, en apparence anodin, est un message chiffré, dont vous possédez certainement la clef. En attendant que vous veuillez vous décider à me la communiquer, vous êtes inculpé d'espionnage, et je vous mets en état d'arrestation. Nous verrons la suite demain. »

Il se leva. Les trois acolytes qui m'avaient amené au poste me saisirent, me firent passer dans une petite pièce voisine, qui se trouvait être le violon, et me désignant une planche en châlit où dormir, s'il me semblait bon, ils me laissèrent et fermèrent sur moi la porte à double tour.

Je commençai d'abord par être furieux, et j'allai donner des coups de pied dans la porte. Puis je m'aperçus que cela ne menait à rien. Et quoique cette aventure ne fût nullement agréable, car après la poursuite des mouflons dans la montagne, et ma courte nuit précédente, et le long voyage en auto, j'aurais de beaucoup mieux aimé dormir dans un lit, fût-il allemand, que sur la planche d'une salle de police, je pris mon parti de voir les choses avec philosophie et d'attendre le jour, qui ne manquerait pas d'apporter l'explication de ces mystères et la fin de cette incroyable méprise. Je m'allongeai donc sur le châlit, et je me mis à réfléchir, en cherchant à trouver le sommeil.

Tout cela s'arrangerait demain... Oui, mais demain, je dois partir à sept heures, et Saint-Elme m'attend à dix à Olomucz! D'autre part, il n'est pas du tout convenable de faire attendre un archevêque; et puis, qu'est-ce que je lui dirai, en arrivant, pour m'excuser de mon retard? Car j'arriverai tout de même, c'est certain. Mais y a-t-il un autre train dans la matinée? En tout cas, je serai ridicule, je vois déjà la figure de Saint-Elme, quand il apprendra ma mésaventure! — Bon, le mieux sera de faire téléphoner par le commissaire à Solirov, où Ricolfi doit être encore... C'est cela. Cette pensée m'apaise et je m'endors. Ma couche est dure, et je m'avise que je n'ai pas couché dans un corps de garde depuis la caserne Brune, à Dijon. Souvenirs!... Est-ce le châlit, les knödels, la contrariété? Je dors mal, me tourne, me retourne. Puis il m'a semblé que je gravissais une montagne, et qu'à peine arrivé en haut, le sol cédait, je roulais dans un précipice, au milieu de rocs menaçants, dressés comme des pals, qui tournaient, doucement, sur eux-mêmes, devenaient des colonnes torses, animées d'une giration folle. Je voyais un pied gigantesque et doré descendre sur moi, je le sentais appuyer pesamment sur ma poitrine : j'étais l'Hérésie, et le pied appartenait à l'un des évêques de Saint-Nicolas, descendu exprès de son socle pour me fouler, tandis que l'autre évêque s'approchait en brandissant les chaînes rompues de l'esclavage, et me les montrait comme des menottes. J'essayais de fuir, l'église — j'étais dans une église — se mettait à tourner, je ne pouvais plus trouver la porte, et Saint-Elme, au milieu d'un groupe de duchesses, détournait la tête, écœuré, ne voulant pas me reconnaître. Je tombais de là dans une oubliette du sombre château de Tabor, où il y avait un homme vêtu de rouge, qui ficelait des margotins et me disait en souriant : « C'est pour le bûcher de Jean Huss, mais il y aura une petite place pour vous, si vous voulez... » Je parvenais à m'échapper. J'ouvrais une fenêtre dans un château, le ciel bleu me paraissait délicieux, mais, tout à coup, je me sentais défenestrer; je tombais dans le vide, j'étais le seigneur de la Haute Chute, et des petits anges accouraient en voletant autour de moi, mais ils avaient peur de me toucher, et ils poussaient de menus cris d'étonnement, comme des hirondelles, et je tombais, tombais, jusqu'à m'espatarer dans un gluant baquet de carpes. La scène changeait : j'étais au Loretto, où Saint-Barbe, sur sa croix, se peignait la barbe, et je reconnaissais les petits boulets ronds de la guerre de Trente ans, disposés en pyramides le long des allées, mais ce n'étaient pas du tout des boulets, c'étaient des knödels. Je sortais.

Je rencontrais encore Saint-Elme, qui détournait la tête et disait avec tristesse : « Comme vous êtes vulgaire! » — et puis, M. Chouanet, qui ne cessait de saluer, à gauche, à droite, et saint Népomucène qui lui rendait gravement son salut, en tenant son auréole par le bord, comme un chapeau de paille sans fond. Là-dessus arrivait Casanova, en chape, la mitre en tête, et la crosse au poing, qui me disait : « Je suis l'archevêque d'Olomucz », et fulminait contre moi parce que j'avais négligé son invitation. Et Casanova changeait de visage : c'était Ricolfi. Je manquais d'être renversé par un mouflon qui me chargeait et portait sur son dos M. Swervagius. Il y avait une petite fille qui pleurait et me donnait une rose, c'était la seule personne un peu bien pour moi. Dorothée, un doigt sur la bouche, déchiffrait une lettre chiffrée. Puis elle devenait Jeannette, qui me disait, avec son accent de Dijon : « Mais voyons, tu es ridicule, tu sais bien qu'il y a vingt ans que je suis morte... » Et M. Hitler, une trompe de chasse à la bouche, annonçait le Jugement dernier... Dieu merci! on n'est pas responsable de ses rêves, ou ce serait à devenir fou. Je me réveillai. Je n'étais pas fou, je me sentais seulement courbatu. La porte s'ouvrit brusquement, laissant entrer le jour, qui dissipa ces vains phantasmes de la nuit. On me conduisit chez le commissaire, et mon interrogatoire recommença.

C'était bien cette fois le commissaire, et non plus

l'adjoint. Il me fit d'abord très bonne impression; j'en profitai pour protester contre la plus arbitraire des arrestations et le traitement abusif qui m'avait été infligé. J'excipai de l'archevêque d'Olomucz qui m'attendait le jour même pour chasser, du comte Ricolfi chez qui je venais de passer deux jours à Solirov, de mon ami Glinka de Prague, de M. Chouanet, de mon ami Baury, de l'Alliance française... Je dus nommer trop de répondants : cette hâte à me faire justifier par autrui ne parut pas très convaincante au commissaire. Il écouta très poliment mes protestations, en homme habitué à entendre. Quand j'eus employé toute mon éloquence, il prit tranquillement la parole, et me dit avec une courtoisie parfaite :

« Nous vérifierons vos affirmations avec le plus grand soin, et vos alibis, s'il y a lieu... Mais je dois vous dire que nous avons des charges extrêmement précises contre vous, que vous avez été l'objet d'une dénonciation très formelle, que les premiers renseignements que j'ai recueillis sur vous ne sont pas bons; et que vous voyagez, pour commencer, sans passeport...

— Mais mon passeport est resté à Bratislava, et... »

Le commissaire étendit la main, pour m'arrêter dans mon discours et reprendre le sien.

« Il y a aussi cette lettre, dont l'original, écrit sur le même papier quadrillé que celui de votre carnet, a été trouvé sur vous, et dont nous avions la photographie... »

Comment, au fait, la photographie du billet perdu par Dorothée, ramassé par moi, avait-elle pu parvenir à ce policier?

« Il y a ce chiffre, au surplus : 393666. Je vous préviens que c'est très grave, et que vous avez grand intérêt à ne pas essayer de nous égarer plus longtemps, car — il me regarde d'un œil net et dur — j'ai de quoi vous confondre : de votre main même.

— De ma main?

— Parfaitement. Voulez-vous me dire le chiffre que vous lisez ici? »

Le commissaire avait mon carnet de notes sur son buvard. Il l'ouvrit à l'une des premières pages, qu'il avait marquée d'un signet. Il me montra la page ouverte, et il me désignait du doigt un chiffre au crayon, inscrit dans un coin. Je lus, de mon écriture, en effet : 393666.

« Eh bien, reprit le commissaire en se renversant dans son fauteuil, sans cesser de m'observer avec attention : voulez-vous me donner une raison valable de la correspondance de ce chiffre inscrit dans votre carnet, et du chiffre identique qui figure au dos de cette lettre trouvée sur vous, qui vous donne mystérieusement rendez-vous, et vous recommande le silence? »

J'étais abasourdi, je ne comprenais pas. Je demandai à voir la lettre — et le carnet. Les deux chiffres correspondaient.

« Mais cela n'a aucun rapport, m'écriai-je, irrité du tour inconcevable que prenait l'affaire. Voilà une lettre que j'ai ramassée par hasard, dans une église, qu'une dame a perdue à côté de moi, que je pensais retrouver, pour la lui remettre. »

Le commissaire sourit légèrement.

« Une dame? Quelle dame?

— Mais ça ne vous regarde pas! (Il marqua le coup, à son avantage.) Enfin, je veux dire...

— Et le chiffre inscrit sur le carnet?... »

Une illumination subite m'éclaira. Le chiffre du carnet?... Eh! mais c'était tout bonnement le numéro matricule de mon fusil; j'avais perdu de vue ce détail, pourtant capital, qui me revenait. Je me mis à rire, tout allait enfin s'arranger.

« Monsieur le commissaire, dis-je, j'aurais dû y penser plus tôt... Je ne sais où j'avais la tête! Je suis venu en Slovaquie pour chasser. J'ai apporté, de Paris, mon fusil avec moi, il me fallait un permis spécial pour la traversée de l'Allemagne avec une arme. J'ai noté simplement sur mon carnet le matricule de mon fusil, et...

— C'est ce que nous allons voir tout de suite », fit froidement le commissaire.

Il sonna. Un agent parut; il donna un ordre. L'agent sortit et revint aussitôt, portant mon bagage et le fusil loué à Prague. On avait perquisitionné à mon hôtel, et porté tout mon équipement au commis-

sariat. Le commissaire tira le fusil de sa gaine, fit
fonctionner la culasse, trouva le matricule, qui n'était
pas celui dont le chiffre était porté sur mon carnet.

« Mais naturellement, dis-je : cette arme ne m'appartient pas. C'est un fusil que j'ai loué à un armurier de Prague, pour tirer la grosse bête chez le comte
Ricolfi et à Olomucz. Le matricule 393666 est celui de
mon fusil à moi, un calibre 16, à deux coups...

— Bien, fit le commissaire. Voulez-vous me montrer ce calibre 16, à deux coups, matricule 393666?

— Mais je l'ai donné à Saint-Elme, parce qu'il
m'embarrassait...

— Parfaitement. Vous allez à la chasse et vous vous
débarrassez de votre fusil. C'est très naturel, en effet. »

J'avoue que j'avais beau être parfaitement de bonne
foi, cette série de contretemps, cette cascade de difficultés et de quiproquos constituait beaucoup d'invrai-
semblances, en apparence tout au moins. Je restais
perplexe, me demandant comment faire entendre raison à ce diabolique interrogateur. Ce fut lui qui
reprit la parole.

« Et qui est ce M. de Saint-Elme à qui vous avez
confié votre fusil?

— M. de Saint-Elme est secrétaire à la légation de
France à Prague. »

Le commissaire secoua brusquement la tête, d'un
air de dire : Vous allez tout de même un peu fort... —
Il se ravisa :

« Je vais téléphoner à la légation de France.

— Mais M. de Saint-Elme n'y est pas!... »

Le commissaire eut un sourire de commisération.

« Vous voyez bien!

— Il est à la chasse... Il m'attendait ce matin à la gare d'Olomucz... »

Le commissaire a sonné. Un agent est entré.

« Nous avons dit : le comte Ricolfi, à Solirov, M. Chouanet à Bratislava. L'Alliance française. Et M. de Saint-Elme... à la chasse. Ces vérifications seront faites. Il y aura toujours, cependant, à expliquer la lettre, et ces chiffres secrets. Ce sera pour une autre fois. »

On m'a ramené au violon, malgré mes protestations les plus énergiques. Toute cette histoire est absurde, et commence à prendre des proportions excessives. J'ai passé l'après-midi dans une très grande irritation, qui ne sert d'ailleurs à rien du tout. On m'a porté quand même à déjeuner — des knödels! — mais je n'ai pas le moindre papier pour écrire — et plus une seule cigarette de tabac français. Voilà bien le plus grave. — Je donnerais trois ans de la vie de Saint-Elme pour un paquet de caporal ordinaire. On ne devrait jamais voyager sans tabac français. Ces cigarettes anglaises, quelle horreur! Ce mélange de foin et de confiture.

Fin de journée. Nouvelle comparution devant Machiavel. Dès le premier coup d'œil, au moment où je me croyais libre, j'ai le pressentiment que tout va mal. Et tout va très mal, en effet. — Le commissaire m'apprend que : 1° M. de Saint-Elme n'est pas à la chasse, comme je le croyais. Il est à Paris, en congé. C'est la légation même qui a donné cette précision. Fâcheux pour moi. Alors quoi? Je n'aurais pas trouvé Saint-Elme à Olomucz? 2° Il y a bien à Bratislava un M. Chouanet, mais il est absent. 3° L'Alliance française n'a pas le téléphone. 4° Il y a bien le téléphone à Solirov, mais Solirov ne répond pas. — Cela étant, si je veux bien répondre à quelques nouvelles questions, utiles à l'enquête dont je suis l'objet : qu'est-ce que je suis allé faire chez les Allemands des Sudètes, à Marienbad? Quel est cet Allemand mystérieux, qui se dit Balte, que je suis allé retrouver à Dux; que j'ai revu à Beet Chagim, où il avait l'air de se cacher; que j'ai rencontré à nouveau à Bratislava? — Et pour quelle raison ai-je demandé, pour Vienne, un visa qui d'ailleurs m'a été refusé? Tout va de mal en pis. Mes alibis me claquent dans la main. Mes répondants sont introuvables, et me voici maintenant obligé de justifier de mes relations avec M. Swervagius, et de la parfaite honorabilité de M. Swervagius!

Je suis décidé à rester calme. J'approche ma chaise du bureau de M. le commissaire, je commence mon explication, très posément.

« Monsieur le commissaire, il faut, puisque les

choses paraissent devoir s'embrouiller, reprendre ces choses d'un peu loin. Il faut vous dire tout d'abord que je m'intéresse à Casanova, et... »

Le commissaire a croisé les bras. Et quoiqu'il soit un homme très poli, j'ai bien vu qu'il était tout près de se mettre fort en colère.

« Dites donc, est-ce que vous allez continuer long-temps à vous moquer de moi?... L'archevêque d'Olo-mucz, la dame inconnue, le fusil pragois et le fusil français, et Casanova maintenant? — Oui ou non, voulez-vous me dire qui vous a écrit cette lettre chif-frée et écrite en russe? (C'était donc du russe). Et la signification réelle de ce numéro? »

J'ai obtenu du commissaire l'autorisation de télé-graphier à Baury, à Glinka, à Chouanet, au prési-dent de l'Alliance française, à Ricolfi, pour les mettre au courant de ma disgrâce, et les prier de me tirer de là. Le commissaire ne veut pas me lâcher. J'arrive tou-tefois à le persuader que ces télégrammes ne me servi-ront de rien, si je suis ce qu'il croit, c'est-à-dire un autre que moi-même. Dans le cas contraire, on verra bien par la suite. — Le commissaire a convenu que mon raisonnement était juste. Il a fait expédier mes messages. — En attendant ce qu'il adviendra, j'ai été reconduit au violon. On m'y porte à dîner. Des knödels encore? Ah! non... — Perspective d'une nouvelle nuit de prison.

A dix heures, comme j'allais m'étendre sur le châlit,

la porte de ma geôle s'est ouverte, et le commissaire
de police est entré : le chapeau à la main, très confus
et très radouci. Il m'a présenté ses excuses d'une inconcevable méprise. Il a reçu du ministère de l'Intérieur,
à Prague, par téléphone, l'ordre de me mettre immé-
diatement en liberté. Il m'apporte en même temps
une dépêche de Baury, qui m'annonce le règlement de
mon aventure, à laquelle il ne comprend rien, mais il
a fait aussitôt le nécessaire. Brave et excellent Baury!
Excellent et brave Chouanet! Ma dépêche aussi l'a
touché, il m'envoie par exprès, de Bratislava, mon
passeport, qu'il s'excuse d'avoir oublié de me remettre
au moment de mon départ. Je montre ce passeport
au commissaire. Il convient une fois de plus de son
erreur, et s'excuse sur la difficulté des temps. On
attend à Prague la visite du roi de Roumanie, et l'on
a été avisé d'avoir à se méfier des terroristes. Nous
passons dans le cabinet du commissaire, où il doit me
rendre mes bagages, mon fusil, mes papiers. Il fera
porter le bagage à l'hôtel. Je prendrai demain matin
le train que je devais prendre aujourd'hui, et au lieu
de m'arrêter à Olomucz, je filerai directement sur
Prague.

« Avec cela, monsieur le commissaire, vous m'avez
fait rater les mouflons de l'archevêque d'Olomucz. Il
n'y a qu'une battue par an. Elle doit être finie à cette
heure. »

Il s'excuse encore, consterné.

« Voilà vos papiers », me dit-il.

Il me tend mon carnet, où le signet est resté.

« Tout de même, ces deux chiffres... Il faut bien vous croire, mais avouez qu'il y a des coïncidences extraordinaires quelquefois... »

Il me rend aussi la lettre de Saint-Jacques, et le rendez-vous de Dorothée.

« La lettre... de la dame. »

Je souris. Il sourit de même, avec discrétion. Il ajoute, d'un air entendu :

« Et puis cela aussi. »

« Cela aussi », que le commissaire de police tient délicatement au bout des doigts, c'est une rose aplatie, à demi séchée, qui a glissé du carnet où je l'avais mise. — La rose que la petite Mimi Bols m'a donnée à Bratislava. Comme c'est loin déjà, Mimi Bols! Quatre jours!... J'ai replacé la fleur dans le carnet, près de la lettre de Dorothée. Et j'ai invité le commissaire à venir boire un verre avec moi, mais c'est moi qui suis bon enfant. Il m'a confié que j'avais été dénoncé dans les règles, par quelqu'un qui a dû me surveiller de près, car tout concordait à merveille. Jusqu'à cette photographie de la lettre... Nous avons cherché ensemble ce que pouvait bien être ce second numéro 393666? — La solution la plus simple, si c'était tout bonnement un numéro de poste restante?

« Il aurait fallu y penser plus tôt. »

XIV

L'OUSTACHI

La première personne que je rencontre, en revenant
à Prague, c'est Saint-Elme... Saint-Elme, que je
croyais à Paris! Mais je n'ai pas le temps de lui poser
la moindre question. C'est lui qui à ma vue lève les
bras au ciel, puis les croise, d'un air indigné.

« Eh bien, vous en faites de belles! J'ai perdu toute
une matinée à vous attendre à Olomucz, vous m'avez
fait rater la battue, vous posez un lapin à l'archevêque, la police enquête sur vous, et ce château qui
flambe dès que vous avez tourné les talons!

— Le château qui flambe?

— Comment, vous ne savez pas?... Le pavillon de
chasse de Ricolfi a été détruit, de fond en comble, par
un incendie, avec tout ce qu'il y a dedans. Je vous ai
cru sous les décombres!

— Solirov brûlé?... Mais alors le manuscrit de Casanova?

— Le manuscrit de Casanova?

— Mais oui, c'est vrai, je ne vous ai pas dit. J'ai retrouvé le manuscrit des *Mémoires!* Il était chez le comte Ricolfi, je l'ai vu... Ce n'est pas possible, brûlé?

— Il n'est resté qu'un petit tas de cendres. »

Voilà donc pourquoi le téléphone de Solirov ne répondait pas aux policiers de Javorina! J'étais stupéfait. Mais Saint-Elme, toujours indifférent à ce qui touche Casanova, me harcelait de questions. Il avait sur le cœur les mouflons manqués, il y revint.

« Ah! ouat! n'ai-je pu m'empêcher de lui dire : vous les auriez manqués de toute façon.

— Enfin m'expliquerez-vous pourquoi vous n'êtes pas venu à Olomucz, où je vous avais donné rendez-vous? »

Je vis bien qu'il ne savait rien de mes aventures, et je lui contai sommairement ce qui m'était arrivé à Javorina, mon arrestation, mes prisons, et la série de contretemps qui m'avaient retenu vingt-quatre heures... Le Diplomate fit la moue. La vulgarité le désole. Il trouvait mes malheurs vulgaires.

« Et vous, demandai-je, comment se fait-il qu'on ait répondu, à la légation, que vous étiez parti pour Paris?

— J'y suis allé, en effet, porter la valise, en avion. Aller et retour en vingt-quatre heures. J'étais à Olomucz à l'heure dite. »

Voilà donc le mystère éclairci. Il en est un autre,

qui ne cesse pas de me préoccuper : Dorothée. — J'a
lâché Saint-Elme, et couru au palais Ricolfi. Le comte
est demeuré dans les Karpathes, à déblayer les ruine
du pavillon, et à mener l'enquête sur les causes d
sinistre. Mais alors Dorothée doit être seule à Prague
Je vais donc la voir, le cœur me bat. Je demande a
portier de faire passer ma carte à la comtesse.

« Mme la comtesse est partie pour Hollywood. Elle
a pris avant-hier l'avion pour Paris, elle a dû s'embar
quer hier, à Cherbourg, sur le *Normandie*. Elle vogue
à présent en pleine mer. »

Adieu, Dorothée. Je ne saurai jamais si Jeannette
et vous... Il n'y a que dans les romans policiers, déci
dément, que tous les mystères sont résolus au dernier
chapitre, et les vies doubles réduites à l'unité finale..
Tant mieux de rester dans le doute. Je n'ai pas fini
de rêver encore... Il me faudra coller ce soir, dans mon
carnet, en face de mes notes sur Saint-Jacques, le billet
tombé du sac de la belle inconnue. De l'inconvénient
de courir trois lièvres à la fois, dont un mouflon. —
J'ai raté Jeannette, raté les *Mémoires*, et je n'ai pas
vu le mouflon!

Ah! mais, et la photographie de ce billet, qui m'a
valu tant d'aria, à Javorina! Comment donc a-t-elle
été prise?

A l'hôtel, je trouve une lettre de M. Chouanet, de
Bratislava. Quatre pages, d'écriture serrée. Dès les pre
mières lignes, les bras me tombent. M. Swervagius

l'honnête, le bon M. Rudo Swervagius, professeur de
baroque et bibliothécaire à l'Université de Kaunas, a
été arrêté, sous l'inculpation d'espionnage. Il s'est fait
pincer dans une souricière, et il a passé des aveux
complet. L'honnête, le bon M. Swervagius est un agent
secret du Reich! Sous couvert d'érudition, d'art
baroque et de casanovisme, il se faisait ouvrir les
archives, et rôdait dans les ministères. Casanova n'était
qu'un prétexte, et je lui ai même servi d'alibi... Tout
s'éclaire! Ce soin qu'il mettait à me suivre, nos rencontres moins dues au hasard qu'à une intention déli-
bérée... Dans quel dessein? M. Chouanet me donne la
clef : Swervagius, en me poursuivant, couvrait ses
démarches secrètes par l'apparence d'une manie inoffensive, une rivalité d'érudits à la recherche d'un document rare. Il me revint, en effet, que l'habile homme
apportait beaucoup d'attention à laisser partout,
comme un repère, une trace précise de nos rencontres.
Parfaitement! La carte postale jetée à la poste de Dux,
l'incident chez le chiffonnier : « Vous vous souviendrez
de mon passage à Slavkov! », le rendez-vous mystérieux à Beet Chagim, où il faut prendre un ticket
pour entrer, le verre cassé et remboursé avec tant
d'ostentation dans ce café de Bratislava... Autant de
preuves de nos rencontres, de notre collusion peut-
être... Dans quel dessein? Eh! c'est très simple : se cou-
vrir, et au besoin, pouvoir détourner sur moi les soup-
çons; ce serait moi le faux casanoviste, lui, le vrai.

M. Swervagius, dès son premier interrogatoire, a commencé par me dénoncer, pour donner le change — d'où mon arrestation à Javorina, et l'enquête dont je fus l'objet. Mais alors? Le billet de Saint-Jacques photographié... si étrangement parvenu aux mains de la police? Eh bien, oui, encore... un trait de lumière soudain! Dans cette vinarna de Dux, où nous avons causé si cordialement des Mémoires, oui, je me le rappelle maintenant, la table bousculée, mon carnet tombé sous la table et ramassé par Swervagius, sa courte absence au lavabo, ce dernier papier retrouvé par lui sous la banquette au moment du départ, qui était justement ce billet?... Il était allé le photographier au cabinet. Les Allemands sont de très habiles photographes.

Honnête M. Swervagius! C'est sans doute vous encore qui, au consulat allemand de Bratislava, m'avez fait refuser le visa pour Vienne?... Ah! mais non, ici, ce dernier détail ne joue pas... Car pour vous débarrasser de moi, il eût été très simple de me laisser aller à Vienne, où la police nazie faisait de moi ce qu'elle voulait... Mais M. Swervagius n'avait pas à se débarrasser de moi, qui lui fournissais, pour ses opérations secrètes en Tchécoslovaquie, un si favorable alibi... Non, la canaille elle-même n'est pas simple. Jusque dans le cœur d'un policier, il faut toujours compter sur la passion. Et voici un trait à ajouter à la féconde découverte de la psychologie moderne sur la disconti-

nuité des caractères. M. Swervagius, lui aussi, est
double, et son astuce, dans l'espèce, aura été mise en
défaut par sa passion; car ce faux casanoviste, mordu,
à son tour, par le goût de Casanova, s'est montré
capable en cela d'un sentiment vrai. Son jeu de policier l'a mené sur la piste de l'aventurier; il s'y est pris.
Le faux casanoviste a déterminé en lui le véritable.
J'étais à la poursuite des *Mémoires,* un alibi utile à
M. Swervagius, agent du Reich — mais j'étais aussi
un alibi haï par M. Swervagius, casanoviste. C'est vrai
qu'il connaît très bien les *Mémoires.* Et c'est vrai que
l'on a trouvé dans ses papiers le manuscrit de son
grand ouvrage sur *Casanova en Bohême.* Ce n'est d'ailleurs pas cela qui servira beaucoup son avancement
dans les cadres de la police du Reich. — Il aura donc
cru que mon voyage projeté à Vienne était sur la piste
retrouvée des papiers manqués à Slavkov. Il ne fallait
donc point que j'allasse à Vienne. Quand l'affaire a
commencé de mal tourner pour lui, il m'a livré à la
police slovaque. Coup double : le policier démasqué
gagne du temps, et l'érudit se venge. C'est tout
simple.

Les choses, d'autre part, prennent le tour le plus
menaçant. La guerre couve. Va-t-elle éclater? — Saint-
Elme est devenu très optimiste, et cela n'annonce
rien de bon. D'ailleurs mes vacances touchent à leur
fin. Je me suis surpris ce matin en train d'envoyer des

cartes postales à mes amis. Signe de départ. J'ai fait
un dernier tour dans Prague, le cœur gros, songeant
à ce que la malheureuse Vienne est devenue!... J'ai
bouclé mon bagage à l'hôtel. Sapristi! Et le fusil que
j'oubliais de reporter à l'armurier! Encore une bonne
heure devant moi. Je prends l'arme, et je vais la
rendre... Qu'est-ce que c'est donc que tout ce monde
dans la rue, ces oriflammes, ces fanfares, et ces coups
de canon dont l'air est ébranlé? Ah! oui, c'est l'arrivée
du roi de Roumanie, qu'on annonçait pour ce matin.
Je n'ai pas fait dix pas dans la rue, avec mon fusil à
l'épaule, les gens me regardent d'un drôle d'air. Se
promener dans les rues de Prague avec un fusil sur
le passage d'un roi en visite! Où ai-je la tête? Suis-je
fol? On va me prendre pour un oustachi. Un agent
déjà me dévisage. Baury, par bonheur, survenant, m'a
tiré d'affaire encore une fois. Il venait me chercher
pour m'accompagner à la gare.

« Toujours ces poètes! dit-il. Laissez donc cet engin
à l'hôtel, je téléphonerai à l'armurier qui le fera prendre. »

... Au-dessus de la turbulente Vltava, la longue
façade de Hradschin, les tours effilées de Saint-Guy,
une dernière fois apparaissent, dans l'encadrement de
la vitre. — Adieu, Prague, et les derniers jours de la
paix. La guerre va venir. Elle vient. Quand sera-ce?
Demain? Dans un mois? Cette nuit? Quelle hantise!

Et derrière moi, ces visages graves des gens, des amis que je laisse.

Le train roule et fuit. Classons, pour échapper un moment encore au sombre réel, nos images. J'ouvre mon carnet surchargé. Une pauvre rose, desséchée déjà, glisse d'entre les feuillets sur mes genoux. Symbolique, cette rose morte. Gérard a raison. « En voyage, il ne se passe jamais rien... » Oui, peut-être, mais il y a toujours l'imagination, comme un voile d'or sur la vie. Il se dissipe tout à coup. Je traverse l'Allemagne en armes.

(Nesles, août-septembre 1938.
Paris, mars 1944).

TABLE DES MATIÈRES

BRODARD ET TAUPIN — IMPRIMEUR - RELIEUR
Paris-Coulommiers. — France.
5098-I-6-974 - Dép. lég. n° 1145, 2e trim. 59 - LE LIVRE DE POCHE

Les pages qui suivent contiennent la liste complète des ouvrages parus et à paraître dans la Série Romanesque du

LIVRE DE POCHE

qui publie chaque mois les chefs-d'œuvre français et étrangers de la littérature contemporaine, dans leur texte intégral.

Le succès sans précédent du LIVRE DE POCHE témoigne à lui seul de ses qualités.

La série romanesque qui compte déjà plus de 300 titres de premier plan est complétée par quatre autres séries :

LA SÉRIE CLASSIQUE qui a pour but de publier en version intégrale les chefs-d'œuvre du passé présentés par les écrivains modernes.

LA SÉRIE ENCYCLOPÉDIQUE dont les ouvrages apportent aux lecteurs une somme de connaissances pratiques dans les domaines les plus divers.

LA SÉRIE EXPLORATION qui groupe des récits d'aventures vécues et de voyages, permettant de mieux connaître les aspects insoupçonnés de notre planète.

LA SÉRIE HISTORIQUE enfin, dont les textes, pour être appuyés sur la documentation la plus solide, n'en restent pas moins aussi passionnants à lire que des romans.

Tous les volumes du LIVRE DE POCHE sont présentés dans un format élégant, avec une typographie claire et soignée, sous une couverture plastifiée, illustrée en quatre couleurs.

Achetez au fur et à mesure les volumes qui figurent au programme des différentes séries et vous vous constituerez, aux moindres frais, une bibliothèque incomparable.

LE LIVRE DE POCHE

VOLUMES PARUS

VOLUMES A PARAITRE
DANS LE 2ᵉ SEMESTRE 1959

RENÉ BARJAVEL
Ravage.

PIERRE BENOIT
Erromango.

ROLAND DORGELÈS
Le Château des Brouillards.

WILLIAM FAULKNER
Le Bruit et la Fureur (*).

ANATOLE FRANCE
La Rôtisserie de la Reine Pédauque.

LÉON FRAPIÉ
La Maternelle.

JEAN GIONO
Que ma joie demeure (*).

JEAN GIRAUDOUX
Bella.

JULIEN GREEN
Adrienne Mesurat.

PAUL GUTH
Le Naïf aux 40 enfants.

ÉMILE HENRIOT
La Rose de Bratislava.

NIKOS KAZANTZAKI
Le Christ recrucifié (*).

ARTHUR KŒSTLER
La Tour d'Ezra (*).

ARMAND LANOUX
Le Commandant Watrin (*).

VALERY LARBAUD
Fermina Marquez.

GASTON LEROUX
Le Fantôme de l'Opéra (*).

HORACE MAC COY
On achève bien les Chevaux.

MALAPARTE
La Peau (*).

ROGER MARTIN DU GARD
Les Thibault tome 3 (*).
Les Thibault tome 4 (*).
Les Thibault tome 5 (*).

SOMERSET MAUGHAM
Le Sortilège malais.

DAPHNÉ DU MAURIER
Rebecca (*).

ANDRÉ MAUROIS
Le Cercle de Famille (*).

GUY DE MAUPASSANT
Une Vie.

CHARLES MORGAN
Le Fleuve étincelant.

O'FLAHERTY
Le Mouchard (*).

ÉDOUARD PEISSON
Le Sel de la Mer (*).

JOSEPH PEYRÉ
Sang et Lumières.

JACQUES PRÉVERT
Spectacle (*).

M. DE SAINT PIERRE
Les Écrivains.

ÉMILE ZOLA
La Fortune des Rougon (*).

Volume double : (*)

LE LIVRE DE POCHE
CLASSIQUE

Cette nouvelle série n'est pas conçue dans un esprit scolaire. Elle entend présenter les grandes œuvres consacrées par le temps dans tous les pays et remettre en lumière certains écrivains qui, faute d'une diffusion suffisante, n'ont pas conquis la notoriété qu'ils méritaient.

Selon la règle du LIVRE DE POCHE, tous les textes seront publiés intégralement dans l'édition la plus correcte et, s'il s'agit d'auteurs étrangers, dans la traduction la plus fidèle.

Pour chaque volume, un des plus grands écrivains français de ce temps a accepté de rédiger une préface, qui situera l'œuvre et l'auteur.

Tous les esprits soucieux de culture trouveront dans cette série ample matière à réminiscences ou à découvertes.

VOLUMES PARUS

VOLUMES PARUS ET A PARAITRE DANS LE 2e TRIMESTRE 1959

LE LIVRE DE POCHE
EXPLORATION

Dans cette série, la dernière née, LE LIVRE DE POCHE publiera les récits d'exploration, d'aventures et de voyages les plus originaux et les plus passionnants.

Les auteurs, spécialistes des modes de prospection les plus variés, nous entraîneront dans des voyages et des découvertes surprenantes : fonds sous-marins, ou grottes préhistoriques, sommets enneigés ou volcans, déserts de glace ou de sable, autant de pérégrinations qui contribueront à une connaissance plus exacte de notre monde et de ses habitants.

Cette série dynamique et actuelle captivera les lecteurs de tous les âges et élargira leurs horizons.

VOLUMES PARUS

THOR HEYERDAHL
319-320 L'Expédition du « Kon-Tiki ».

ALAIN GHEERBRANT
339-340 L'Expédition Orénoque-Amazone.

ALAIN BOMBARD
368 Naufragé volontaire.

J.-Y. COUSTEAU.- F. DUMAS
404-405 Le Monde du Silence.

VOLUMES A PARAITRE

Avril

JOHN HUNT
Victoire sur l'Everest.

Août.

HENRY DE MONFREID
Les Secrets de la Mer Rouge.